誰が第二次世界大戦を起こしたのか

フーバー大統領『裏切られた自由』を読み解く

渡辺惣樹

草思社文庫

＊本書は、二〇一七年に当社より刊行した著作を文庫化したものです。

文庫版のためのまえがき

二〇一六年、筆者はほぼ毎日のように机に向かい、ハーバート・フーバー大統領の『裏切られた自由（*Freedom Betrayed*）』の原書と格闘していた。原書の意味をそのままに、できるだけ日本の読者に違和感のない日本語表現に換える作業は簡単ではなかった。その作業に音を上げたくなるときが何度もあったが、そのたびにフーバー大統領の無念を思った。フーバーが『裏切られた自由』の執筆を構想したのは、真珠湾攻撃の報を聞いた時だから、出版の最終段階にきた一九六四年までには四半世紀近い歳月が過ぎていた。

彼は、『裏切られた自由』を上梓できずに世を去った（一九六四年十月二十日）。もっと早い段階で出版の決断ができたはずだが、それができなかったのは、自身の優しすぎる性格（存命の政治家の批判は避けたい）と、批判の対象であるフランクリン・デラノ・ルーズベルト大統領（ＦＤＲ）を庇うとんでもなく強力な勢力が存在していたからである。

ＦＤＲ外交の失敗によって、大戦後のアメリカはソビエトとの冷戦を実質一国で戦う羽目に陥った。共産主義の世界革命思想を東西で抑え込んでいた日独両国を叩き潰せばそうなることは必然であった。

フーバーのＦＤＲ批判は、有体に書いてしまえば、「米国の若者はＦＤＲの愚かな外交によって世界共産革命の道具となり犬死にした」という主張と同義になる。米国が、ＦＤＲ外交の失敗の帰結として、ただ一国でソビエトや中共などの共産主義国家と戦っている中では、たとえその分析と主張に合理性があっても、「政治的には」出版しにくい空気があった。それがあったからこそフーバーは最後まで慎重であり続け、結局、生前の出版機会を失った。

フーバーの「悲劇」をあざ笑うかのように、米国の学校教育ではＦＤＲをことさら称揚し、フーバーの業績を貶める作業が続けられてきた。嘘の歴史教育である。米国の子供たちには、「フーバーは、世界恐慌になんの手も打てなかった無能な大統領であった」と貶める一方で、「ＦＤＲはニューディール政策で世界不況からアメリカを脱出させた名大統領だ」と教えてきた。日本の世界史教育も同様である。

しかし、フーバーが世界不況を前にして各国の提携を呼びかけて開催させた「ロンドン世界経済会議」（一九三三年六〜七月）で指導力を発揮できなかったのは、三二年の大統領選で敗れたためである。後継のＦＤＲは、開催が決まっていた会議にコーデル・ハル国務長官を遣っただけで、会議を積極的にリードしようとはしなかった。参加各国はそれに落胆した。

ＦＤＲが、国内不況対策で始めたニューディール政策は、実際には政府財政を火の車にしただけで失業率の改善はできなかった。米国経済が回復基調に戻ったのは一九三九年以降、つまりナチスドイツのポーランド侵攻から始まったヨーロッパの戦争によって、交戦国（英仏）からの軍需品の発注が本格化してからのことだった。

フーバーは、戦後のＦＤＲ讃美の言論空間の「いやらしさ（欺瞞）」に気づいていた。自身を貶める言説が溢れていることも知っていた。だからこそ、可能なかぎり「資料に語らせる」方法を選んだ。彼の主張を負け犬の遠吠えにしたい勢力が跋扈しているだけに、その方法がベストだった。しかし、その作業は困難を極めた。多くの公的資料を米国政府が隠し続けたからである。それでも元大統領としての人脈を生かし、一次資料や事件当事者の証言を丹念に集めた。そうすることで、あの戦争とは何だったのかを後世に残そうとした。

「真の歴史は細部に宿る（隠れている、隠されている）」とフーバーは考えた。だからこそ、戦後歴史教育では隠されてきた、ＦＤＲ政権内にはびこったソビエトスパイや共産主義者の動きを追った。第二次世界大戦中に連合国首脳が行なった全ての会談をリストアップし、その裏に隠されていた狙いを調べ上げた。そして、極悪国とされた日独が連合国に敗れた結果、中国、朝鮮、ポーランドの戦後がいかに悲惨なものになったかを描いた（ケーススタディとして『裏切られた自由』下巻に収録）。

フーバーは、日独両国の戦後の歴史も精査した。ドイツの東西分裂の悲劇は下巻に詳述されているが、残念ながら日本を扱った部分は消えている。フーバーが日本の分析をなぜ外したのかわからない。使う必要のなかった原爆で世界唯一の被爆国になった日本を描くことが心苦しかったのかもしれない。あるいは、日本の戦後は前述の国々に比して「相対的に」幸せだったからかもしれない。いずれにせよ、フーバーが日本の戦後分析を収録しなかったことは残念であった。

資料に語らせる手法は、『裏切られた自由』を大部にした。時系列に沿って記述されているので、時間的に混乱することはないが、彼の語る事件の相互関係を明快に理解するには、少々骨が折れる。この著作を読みこなす作業は長い長いトレッキングに喩えてもよい。険しい道で滑らないために、あるいは眼前に現れる壮観な、そして時に気の滅入る光景を「楽しむ」ためにはガイドブックが役に立つ。

本書は、『裏切られた自由』を味わうためのガイドブックである。幸い、単行本として出版されて以来、読者の高い評価を得て版を重ねてきた。今般それが草思社文庫のラインアップに入ることになった。

『裏切られた自由』の全行程があらかじめ一望できるように心掛けた。しかし、実際のトレッキングの喜びには代えられない。読者におかれては、本書読了後には是非、この上下巻に挑戦していただきたい。長い歴史のトレッキングになるが、「あの始まりも終わりも不可思議なことばかりの先の戦争とは何だったのか」がはっきり輪郭を現わしてくるはずである。

最後になるが、単行本執筆時に編集を担当していただいた碇高明さん、故増田敦子さん、今回の文庫本化の編集にあたってくれた藤田博さんには謝意を表したい。

二〇二〇年秋

渡辺惣樹

誰が第二次世界大戦を起こしたのか◉目次

第一章　ハーバート・フーバーの生い立ち　23

第四章　『裏切られた自由』を読み解く
その三：ルーズベルトの戦争準備　123

第五章　連合国首脳は何を協議したのか　175

本書は、渡辺惣樹氏が自身の翻訳した『裏切られた自由』(ハーバート・フーバー著、ジョージ・H・ナッシュ編 *Freedom Betrayed: Herbert Hoover's Secret History of the Second World War and Its Aftermath*, Hoover Institution Press, 2011. 邦訳は二〇一七年、小社刊)の主要な論点を解説し、同書の記述をもとに第二次世界大戦の真実を浮き彫りにするものである。

『裏切られた自由』は、米国第三十一代大統領ハーバート・フーバーによる第二次世界大戦の「回顧録」だが、開戦にいたる経緯から戦後に表われたその後遺症までを膨大な史料を用いて跡付け、とりわけ当時の米国外交を鋭い批評性を以て検証している点が注目される。

『裏切られた自由』原書は一巻本であるが、大部なため、邦訳版は上下二巻に分けての刊行となった。本文は3部構成で、これに編者ナッシュ氏の序文(巻頭)と付属関連文書(巻末)が付されている。邦訳版各巻の区切りは以下のとおりである。

上巻=編者序文、第1部~第2部(第14編第62章)

下巻=第2部(第15編第63章)~第3部、付属関連文書

上巻は開戦までのヨーロッパの状況、フランクリン・ルーズベルト大統領の内政・外交、連合国による度重なる会談が、下巻ではヤルタ会談、ポツダム会談、終戦、戦後への余波が取り上げられている。

なお本書では、『裏切られた自由』からの引用は該当箇所を( )内に記した。

(編集部)

はじめに

一九四一年十二月八日は米国時間で言えば真珠湾攻撃の翌日にあたる。この日、ハーバート・フーバー元大統領（第三十一代：任期は一九二九～三三年）は、一通の手紙をしたためた。その手紙は次のようなものだった（『裏切られた自由』「付属関連文書」史料1。以下、『裏切られた自由』からの引用については、書名を略す）。

〈一九四一年十二月八日
ウィリアム・R・キャッスル殿
ワシントンDC、Sストリート二二〇〇
親愛なるビル君〔ビルはウィリアムの愛称〕
『ヘラルド・トリビューン』紙に掲載されたあなたの手紙は、実に不幸な時期に重なったのですが、それを読みながら私にある疑問が湧いてきました。
あなたも私同様に、日本というガラガラヘビに〔我が国政府が〕しつこくちょっかいを出し、その結果そのヘビが我々に咬みついたんだ、ということをよく知っています。また、日本に対してあのような貿易上の規制をかけたり、挑発的な態度を示さなくても、日本はこれからの数年で内部的に崩壊するだろうことがわかっていました。なぜこんなことになってしまったのかその過程も知っています。

このこと〔を記録しておくこと〕は、将来においてきわめて重要な意味を持つことになると考えます。あなたにはこの問題に関わるあらゆる記録と回顧録などの収集にあたってほしいのです。我々の疑念を補強する記録をできるだけ多く入手してほしいのです。

ハーバート・フーバー
ニューヨーク州ニューヨーク市
ウォルドルフ・アストリアホテル〉

この前日、真珠湾攻撃の報が伝わったとき、フーバーには攻撃そのものへの驚きの感覚はなかった。フランクリン・ルーズベルト大統領（FDR）がついに何か「やらかしたな」という感触を持ったのである。当時アメリカでは、八〇パーセントを超える世論がヨーロッパ戦争への不参戦の立場であった。フランスがナチスドイツに降伏（一九四〇年六月）しても、イギリス本土空爆（バトル・オブ・ブリテン：一九四〇年七月から十月）があっても、アメリカ国民のヨーロッパ問題不干渉の強い意志は変わらなかった。多くの国民が、第一次世界大戦にアメリカが参戦したことで出来上がったベルサイユ体制に幻滅していたからだが、より単純な言い方をすれば、イギリスとフランスの戦争動機がまるで理解できなかったのである。

ヒトラーは、人口四十二万人のバルト海に面する港湾都市ダンツィヒ（グダニスク、現ポーランド）のドイツ返還を求めて戦いを起こした。ドイツの戦争動機は明快だった。ダンツィヒ市民の九〇パーセント以上がドイツ系住民であった。またドイツ本土からダンツィヒにつながる土地（ポーランド回廊）もベルサイユ条約でポーランドの領土とされたため、この港湾都市はドイツ本土と切り離され、孤立していた。ポーランド回廊に住んでいた住民の多くが土地を奪われドイツ本土に戻っていたが、まだ百五十万人のドイツ系が住んでいた。ヒトラーはポーランド回廊からダンツィヒへのアクセス権も併せて要求していた。

ヒトラーは、自著『我が闘争』の中で、あるいはその後の演説の中で、「ベルサイユ条約の不正義を解消したら東に向かい、ドイツ民族の「生存圏」を拡大すると公言していた。英国ともフランスとも戦うことは望んでいなかった。まったく外交交渉に応じないポーランドに対して、ヒトラーは軍事行動（一九三九年九月一日）を命じた。行動の前に、東部方面の憂いを払拭するために不倶戴天の敵スターリンと手を握った

（独ソ不可侵条約：八月二十三日）。英仏両国の西部方面からの攻撃の憂いを解消すると、ヒトラーは念願だったソビエト侵攻（共産主義思想の打破）を実行に移した（ドイツのソビエト侵攻：一九四一年六月二十二日）。

西欧諸国とは戦う意志のなかったドイツに宣戦布告したのは、イギリスでありフランスだった（一九三九年九月三日）。常識的に考えても、英仏両国にとってポーランド問題はその安全保障になんの関わりもない。第一次世界大戦前には、ポーランドは存在しない国であり、それでもヨーロッパは長い間十分に平和であった。米国民は英仏の対独戦争の動機が皆目、理解できないでいた。英仏の対独戦争は誰もが理解できる自衛戦争ではなかった。戦う理由がわからない戦争に介入し、自国の若者を犠牲にしても構わないと思う国民はいない。これが、アメリカ国民の八〇パーセント以上がヨーロッパ大陸の戦いへの不干渉を願った理由だった。独ソ戦の始まりで、米国内の親英勢力にとっての最悪のシナリオ（英国の降伏）が消えた。

ワシントン議会は与党民主党が多数派だったが、議員の七五パーセントが参戦反対であった。戦いに介入したいＦＤＲは、ドイツを刺激する行動を、何度も、密かに海軍に命じていたが、ヒトラーは挑発に乗らなかった。独ソ戦が始まった以上、もはやアメリカが参戦する積極的な理由はどこにもなかったのである。

フーバーは、一貫して非介入の立場を国民に訴え続けてきた。アメリカ国内にはアメリカ第一主義委員会が設立され（一九四〇年九月）、フーバーと同様の主張で国民の広範な支持を得ていた。したがって、真珠湾攻撃前の時点では、独ソ戦の行方を見守り、二つの怪物（全体主義国家）の壮絶な死闘を注意深く見ていればよい、という考えが主流となっていた。

ヨーロッパ方面の外交に手詰まりとなっていたFDR政権が、日本に対して意地悪をしている、ちょっかいを出しているという情報は、政権内部に近い者を通じてフーバーの耳に入っていた。情報を寄せていた一人が、前記のフーバーの手紙の名宛人であるウィリアム・R・キャッスルだった。キャッスルは外交の専門家であり、フーバー政権では国務次官補を務めた。またロンドン海軍軍縮条約の折衝で活躍し、日本代表との間に親交もあった。一九三〇年一月から五月には短期間ながら駐日大使を務め、帰国すると再び次官補となった。三一年四月からは国務次官に昇任し、フーバー政権の終了（一九三三年三月）までその任にあった。キャッスルは国務省内に知己が多く、非公式ルートで情報を得られる人物だった。

FDR政権の対日外交の陰湿さにフーバーが気づいていたことは間違いない。しかし、その全貌はわからなかった。日本に対して実質的な最後通牒であるハル・ノートが手交（十一月二十六日）されていることも知らなかった。それでも、真珠湾攻撃の報に接したときに、FDRが何かしでかしてくれたな、という感覚がすぐに湧いた。

このときにフーバーは、この戦いまでの経過と、これからの戦いについて、その全容を明らかにしなくてはならないと考えたのである。日本から攻撃を受けた以上、アメリカは戦わざるを得ない。戦いに勝つことが絶対的な命題である。しかし、彼は、自身が訴えてきた不干渉政策の主張は正しかったと信じていた。

フーバーは、ルーズベルトの外交の実態を明らかにしなくてはならないと、真珠湾攻撃の報と同時に決めたのである。そして同時に、これからFDRが進める外交についても注意深く観察することが必要だと考えた。こうしてフーバーの長い戦いのような情報収集作業が始まった。

フーバーの作業は二〇年以上にわたって続けられ、最終原稿をほぼ完成させたが、出版を目前にして彼の命が尽きた（一九六四年十月二十日死去、九十歳）。その後出版に至らなかった事情は『裏切られた自由』に詳しいので本書では簡略に書くに留める。残された原稿を歴史家のジョージ・ナッシュが、フーバーの構想に近いと思われる構成で再編集し、二〇一一年にようやく出版にこぎつけた（*Freedom Betrayed: Herbert Hoover's Secret History of the Second World War and Its Aftermath*）。『裏切られた自由』（草思社）は拙訳によるその日本語版である。

フーバーはスタンフォード大学で鉱山学を学んだ技術系の人物であった（生い立ちについては第一章で詳述）。それだけに歴史の細部を疎（おろそ）かにしなかった。同時に一次資料を重視した。FDRの進めた外交の全貌をなんとしても正確に把握し、それを世に知らしめたかった。その気持ちが『裏切られた自由』を大著にした。原書は目次部分、編者による序文を含めると一〇七八頁である。日本語版では一冊では収まらず、上下二巻本となった。

筆者もフーバー同様に歴史は細部に宿ると信じている。日本の戦後教育を受けた者にとっては驚くべき事実が、フーバーが見逃さなかった歴史の細部にちりばめられている。ぜひ、ゆっくりと時間をかけてそれらを読み取ってほしいと思っている。

本書は大著を読み解くためのガイドブックである。『裏切られた自由』を読了してから読んでもらっても構わない。大著に挑む前に一読してもらっても構わない。いずれにせよ、『裏切られた自由』に言及せずに、あの戦争を語ることはもはや不可能である。

第一章　ハーバート・フーバーの生い立ち

少年時代

日本の安全保障は、好き嫌いにかかわらずアメリカに頼っている。だからこそアメリカとはいかなる国であるか、日本人は知っておく必要がある。筆者は、日本人の視点で書いたアメリカ史を、少なくとも高校教育では必須科目として教えるべきであろうと思っている（もちろんそのような歴史書はまだない）。いずれにせよ、現代日本ではアメリカ史は歴史専門課程だけで教えられている。明治・大正期の日米関係は、時の経過とともにその関係を悪化させたものの、概ね良好であった。そのせいかアメリカ史に多くの日本人が関心を示し、ジョージ・ワシントンやアブラハム・リンカーンの伝記などが読まれた。しかし現代日本では、そうした、かつては偉人と見なされていた人物でさえも一般教育の中で扱われることはない。ましてや偉人とは見なされていないハーバート・フーバー元大統領について詳しく知る者はほぼ皆無である。

『裏切られた自由』はルーズベルト（とチャーチル）の外交の本質を明らかにするこ

とがその趣旨であるだけに、フーバー自身の生い立ちは書かれていない。しかし、彼の生い立ちを知ることは彼の思想を理解する手助けになる。そのような功利的な思いを離れたとしても、フーバーの大著を読もうとする読者であれば、その経歴は気になるところであろう。

ハーバート・フーバーは、一八七四年八月十日、アイオワ州の寒村ウェスト・ブランチに生まれた。生家は縦五・五メートル、横六メートルの小さな家であった。二つの部屋があるだけだった[*1]（次頁写真）。

父方、母方の祖父はともに学問があったが、父ジェシーは鍛冶屋だった。カナダ生まれの母はクエーカー教徒で、結婚（一八七〇年）するまでは教職にあった[*2]。フーバーは幼いときにこの両親を相次いで亡くしている。父は六歳のときに、母はその三年後に死んだ。両親を亡くしたフーバーを叔父のラバン・マイルズ（Laban Miles）が引き取った。マイルズは、グラント大統領時代（任期一八六九〜七七年）に、西部インディアンの厚生を担当する政府職員であった[*3]。マイルズは、任地（オクラホマ州パフスカのインディアン保護区）にあるオセージ族インディアンのための学校（Osage Indian School）にフーバーと自身の子供を通わせた。歴代のアメリカ大統領の中で、幼少期にアメリカインディアンの子供たちと学んだ経験を持つのはフーバーだけである。インディアンの学友と、インディアン式の弓づくりをした。

http://www.robinsonlibrary.com/america/unitedstates/20th/1929/hoover/birthplace.htm

一八八五年、オレゴン州に住むもう一人の叔父ヘンリー・ミンソーンがフーバーを引き取った。ミンソーンは自身の子供を亡くしたため後継ぎが欲しかったのである。フーバーは、別れを惜しむ親族からたくさんの食料をもらうと、一人汽車に乗ってミンソーンの住むオレゴン州ニューバーグに向かった。

ミンソーンは、この地に新しい教育施設フレンズ・パシフィック・アカデミー（現ジョージ・フォックス大学）を開校したばかりで、フーバーはこの学校の第一期生となった。授業料は年間百十ドル（現在価値約二千八百ドル）であったが、校舎や教室の清掃をすることで免除となった。フーバーは、夏休みには近郊の農場でも働いた。ある夏には、ジャガイモを食べ尽くすポテトビートル（コロラドハムシ）を駆除する作業もした。手で一匹一匹摘んで処理した。一日二十セント（現在価値五ドル）の仕事だった。

十四歳の頃、ミンソーン家は近郊の町セーラムに移り、不動産業を始めた。フーバーは帳簿をつける作業を任された。月給は二十ドルだった。オレゴン州は今でもそうであるが、自然に恵まれている。彼は野山を文字どおり駆け巡った。

「森の中に入ると、藪（やぶ）のように茂る野イチゴ、シダそして花を咲かせる野草の醸す何とも言えないよい香りがした。『山の香り』だった。（サンティアム川上流に遊びに出かけたとき）虫を餌にして釣りをした。親切な釣り人が毛バリを自分と友人に三つずつ分けてくれた。毛バリは実に重宝だった。（中略）毛バリに毛が一本もなくなるまで使った[*4]」

フーバーはその晩年に釣りを楽しみ、ガイドブックまで書いている。彼が釣りの楽しみを覚えたのはオレゴン州の渓谷であった。

ある日、会社にロバート・ブラウンという男がやって来た。ブラウンは鉱山技師であった。ブラウンはフーバーを、カスケード山脈で鉱脈を探る旅に誘った。その旅先でフーバーにいろいろな話を聞かせた。フーバーは次第に鉱物や鉱山の魅力に引き込まれていった。

中等教育を終えたフーバーは、インディアナ州にあるクエーカー教系のカレッジ

(Earlham College) への奨学生入学が決まっていた。親族の手配だった。しかし、ブラウンの影響を受けていたフーバーは、鉱山学を学び技師になることを決めていた。フーバーが選んだのは、新設が決まっていたサンフランシスコのルランド・スタンフォード大学（現スタンフォード大学）であった。鉱山学部の入学試験を受けたが、数学以外の成績が振るわず不合格だった。それでもあきらめず個人教授を雇い、三カ月の猛勉強の末、開校時には入学を認められた。[*5]

スタンフォード大学時代、豪州での経験

ルランド・スタンフォード大学の地質・鉱山学部長はジョン・ブラナー博士であった。後に二代目の学長となる学者である。博士は学生に鉱脈の探査技術を伝授するだけでなく、鉱山経営でいかに利益を出すかについても厳しく指導した。フーバーが最も薫陶を受けた指導者であった。

授業科目は広範囲にわたっている。一般科目としての英語、化学、数学、物理、地質学に加え、発破技術、鉱山測量術、立坑開削技術、トンネル工法、階段式採掘法、木材による支保工法、工作技術、機械設計、水力学、材料力学、製図法、試金（鉱石の金属成分定量分析）技術、金属精製技術と機械、運搬技術、動力装置、選鉱技術といった専門科目があった。鉱山関連の法律や鉱山経営学もカリキュラムに組み込まれ

ていた。フーバーの才能をたちまち見出したブラナー博士は、彼を有給のアシスタントに採用した。[*6]

フーバーは学生生活も満喫している。仲間を募り、野球やアメリカン・フットボールのチームを作り、自身も選手として活躍した。学内コンサートを企画し利益を上げたこともあった。すでに企業家の才を見せていた。そのことを示すように、一八九三年（あるいは九四年）にはポーランド人ピアニスト、イグナツィ・パデレフスキ（第一次世界大戦後、成立したポーランド共和国の首相）を招き、学内コンサートを企画した（第3部第1編「序」の注1、解説部分）。

一八九三年および九四年の夏には、アメリカ地質学会のカリフォルニア、ネバダ両州の地質調査チームのメンバーとなった。当時世界のトップクラスの学者と目されていたヴァルデマール・リングデン博士の指導を受けた。フーバーは十分すぎるほどの教育をスタンフォード大学と課外活動で受け、一八九五年に卒業した。

この頃アメリカ経済は停滞していた。パニック・オブ・1893（一八九三年恐慌）といわれる経済不況が長引き、卒業した一八九五年にも失業率は一一パーセントから一三パーセントで高止まったままであった。フーバーの就職活動は簡単ではなかった。ようやく見つけたのは、地下坑内から鉱石を積んだトロッコを運び出す作業だった。きまった休日もなかった。十時間労働の日給は二ドル（現在価値六十ドル）だった。[*7]

フーバーは百ドル（現在価値三千ドル）を貯めると現場の仕事を辞めた。しばらくしてサンフランシスコの鉱山エンジニアリング会社に専門知識を活かせる職場を見つけた。フーバーは、コロラド州やニューメキシコ州の現場に派遣され実績を残すと、オーナーのルイス・ジャニンに気に入られた。

一八九七年、ジャニン社長のところにクライアントであるロンドンの鉱山会社（Bewick, Moreing & Co. 以下ＢＭＣ社）から人材紹介の依頼があった。豪州で展開する鉱山事業にエンジニアが必要だったのである。現地責任者を補佐する技術者を探していた。提示された給与は月額六百ドル（現在価値一万八千ドル）だった。わずか二十三歳の新米技術者の給料としては破格だった。オーストラリアは当時ゴールドラッシュの真っただ中だった。質の良い鉱脈を他社に先駆けて確保し、素早く掘り出す。これに成功すれば莫大な利益が得られた。それがフーバーに提示された給与の破格さに表れていた。フーバーは豪州行きを決めた。

フーバーの仕事ぶりは十分に会社を満足させた。彼自身で発見した鉱脈も利益を生んでいた。[*8] 彼の優れた資質を見出したＢＭＣ社は、わずか二年後の一八九九年に今度は中国行きを打診した。同社の出資した中国技術砿業会社（Chinese Engineering & Mining co. ltd）の主任技師として給与は年二万ドル（現在価値六十万ドル）、必要経費は会社負担という条件だった。[*9]

中国時代、鉱山開発事業

ＢＭＣ社から提示された条件は、二十代半ばのエンジニアにとって十分すぎる額だった。中国行きを承諾したフーバーは、カリフォルニア州モンテレイに残した恋人ルー・ヘンリーに求婚の電報を打った。彼女は大学の学部の後輩だった。イエスの返事はすぐに届いた。ルーは一九四四年に亡くなるまでフーバーの良き伴侶だった。

一八九九年一月にはロンドンに赴き、業務内容の指示を受けると、ルーの待つカリフォルニアに向かった。クエーカー教徒としての結婚式は近在に牧師がおらず、友人のカソリック神父が代役に立った。フーバー夫妻が北京に入ったのは一八九九年三月のことであった[*10]。

中国技術砿業会社は、英・独・仏・ベルギーと中国の地元資本により一八九八年に設立されたベンチャー企業だった。資本の過半数は清国資本だった。同社の中心となる事業は炭鉱経営とセメント製造であり、社長（Chang Yen-Mao）は中国の政府機関が任命した[*11]。チャン社長は、同年夏に北京を訪れていたフーバーの上司ムアリング氏に、ヨーロッパ各国が同社の主導権争いを繰り広げ、困っているとこぼした。ムアリングは、そうした争い事でバランスを取るには、アメリカ人を幹部に採用するのが効果的だと教えた。チャン社長がこれに納得すると、ムアリングは自身の腹心であるハーバート・フーバーを主任技師に送り込んだ。[*12] これがフーバーの中国行きの真相だった。北京での関係者との打ち合わせを終えると、フーバーは天津租界に居を構えた。

フーバーがまず取り組まなければならなかった作業は、秦皇島の港湾施設の改善と、同港と炭鉱を結ぶ鉄道の敷設だった。彼は必要な人材を豪州やアメリカから呼び寄せた。フーバーは主任技師の肩書ではあったが、実務では清国政府関係者との交渉が大きな比重を占めた。中国技術砿業会社は清国開平鉱務局の流れを汲む会社であり、鉱務局は、直隷省総督李鴻章が進めた洋務運動の一環として設立された鉱山（石炭）開発の会社だった。

フーバーが天津に赴任した頃の清では洋務運動が陰りを見せていた。李鴻章を支えた光緒帝は西太后により監禁され（戊戌政変、一八九八年）、外国人を嫌う保守派による排外政治が顕著になっていた。険悪な空気が漂う中で、フーバーは清政府に対して、鉱山業の発展のために欠かせない法律の整備、外国企業との対等な立場での契約基準、政府取り分の規定や鉱山リース終了後の法的処理のルール、鉱山労働者の労働環境の改善などを提案し、実行した。賄賂に慣れた清国官憲との交渉に苦労したことが、フーバーの「メモワール」の行間から読み取れる。[*13]

慣れない清国高官との交渉のアドバイザーとなったのは、元天津海関長（海関は海外との貿易の関税を徴収する税関）のドイツ人、グスタフ・デトリングだった。フーバーはデトリング夫妻を文字どおり手放しで誉めている。筆者は拙著『朝鮮開国と日清戦争』（草思社）の第五章「日清戦争」の中で、下関条約交渉の過程を詳述した。デトリングは、李鴻章が全権に任命される前に、清国全権と称して神戸に現われた男だった（一八九四年十一月二十六日）。彼は清国の親書を持参したが、伊藤博文ら明治政府高官は内容を吟味したうえで、その親書がデトリングに全権を与えていないと判断した。彼が追い返された結果、日本側が指名したと言ってもよい李鴻章が全権となった。

デトリングは、李鴻章に信頼されていた「お雇い外国人」であり、その李鴻章は屈辱の下関条約を結んだ。デトリングが日本に対して好感情を持つはずもない。『裏切られた自由』に日本の記述は少ない。また日本に好意的な叙述はほとんどない（日本の朝鮮統治の結果、朝鮮の生活水準が大幅に改善したという客観的な記述があるだけだ。後述）。フーバー夫妻と家族ぐるみで付き合ったデトリングが、日本という国を好意的に語らなかっただろうことは間違いない。『裏切られた自由』に日本の記述が少ないのは、デトリングの影響ではなかったか。フーバーは日本贔屓（びいき）の政治家ではない。そのような人物がルーズベルト（とチャーチル）の対日外交を厳しく非難している。それが『裏切られた自由』の客観性を担保している。

一九〇〇年六月、フーバーは李鴻章の招きで北京を訪れた。李鴻章は、西太后の反西洋（人）の感情が激しさを増し、義和団と呼ばれる反キリスト教、反西洋人の結社を焚き付けて騒乱を起こさせていると憤っていた。六月十日、日曜日朝、フーバーは砲弾の音で目覚めた。天津租界への砲撃が始まったのである。義和団には西太后の命令で清国正規軍も加わっていた（注：義和団の乱の詳細は拙著『日米衝突の萌芽　1898―1918』〈草思社〉第六章に詳述した）。租界には西洋人と関わりを持ったり、西洋で教育を受けた支那人も逃げ込んできた。少ない数の兵士らと協力して租界での籠城が始まった。六月二十三日、西洋各国（英、仏、独、露、米）と日本の混成部隊一万四千がようやく租界の解放に成功した。租界は解放されたが天津城内には清国正規軍およそ二万人が立て籠もっていた。各国から派遣された増援部隊の到着を待って天津城攻撃が始まったのは、七月十三日早朝である。高い塀で守られた城の攻略は困難を極めた。日本の工兵の命がけの作戦で門の一つの爆破に成功し、天津城の攻略がなった。[*14]

天津租界が解放されると、周辺の地理に詳しいフーバーは米海兵隊の要請で案内に駆り出された。「隣を進む兵士が銃弾に倒れると恐怖で足がすくみ、一歩も前に進めなかった」「傷ついた兵士の持っていたライフルを手にすると、不思議と冷静になって歩けるようになった」と書いている。[*15] 死と隣り合わせの経験をしたフーバーが、天津城攻防戦や北京の東交民巷（とうこうみんこう）（各国公館が置かれていた）での西洋人外交官救出作戦で日本の兵士が見せた勇敢な行動を知っていたかは定かではない。おそらく知らなかったであろう。知っていれば、フーバーの日本理解はまた違ったものになっていたのかも知れない。

幸いに妻のルーも無事だった。その後の二年間で会社は事業を拡大し、十分な利益を上げるまでになった。成長した会社はベルギー資本が買い占め、幹部はベルギー人に替わった。一九〇二年、BMC社はフーバーに経営陣への参画を求めた。この年、フーバーはロンドンの本社に異動した。[*16]

なおフーバーは中国勤務時代についての経験を、『裏切られた自由』の第1部第11章の冒頭で簡潔に記している。

ロンドン時代、ビルマでの起業

BMC社ロンドン本社に移ると、フーバーはジュニアパートナーとして経営陣の一角に加わった。同社がコンサルタントを手がける事業は世界中に広がっていた。前任地清国の鉱山も担当したが、鉱山開発案件はウェールズ（英国）、トランスバール（南アフリカ）にもあった。他にもコーンウォール（英国）の錫（すず）、西部オーストラリア、ニュージーランド、南アフリカ、西アフリカの金、クイーンズランド（オーストラリア）、カナダの銅、ネバダの銅と銀、エジプトのトルコ石などがあった。稼働している鉱山運営だけでなく、有望な鉱脈を探る仕事もあった。[*17]

手がけた案件の中でも大きな成功を収めたのが、オーストラリアのニューサウスウェールズ州西端にあるブロークンヒル鉱山の開発事業だった。ここで産出する鉱石には銀、鉛、亜鉛があった。ところが採算に合う方法で亜鉛を精錬する方法が見つかっていなかった。フーバーは新しい精錬法を試して成功した。それによって鉱山の価値は大きく跳ね上がった。ブロークンヒルではフーバーの管理していた鉱山は二つあった。彼は従業員の福利厚生を重視した。自身も地下で働いた経験があったからだろうが、彼は、鉱山で働くことで労働者に幸福になってもらいたかった。彼の管理下では一度も労働争議は起きていない。[*18]

二人の子供が生まれたのはロンドン本社勤務時代だった（一九〇三年に長男ハーバート・ジュニア、一九〇七年には次男のアランが誕生）。

フーバーが独立したのは一九〇八年のことである。パートナーとなる人物を持たず、一人で起業した。鉱山コンサルタント業務が中心であった。起業した年から、実質的に業界の実務から遠ざかった一九一四年までの間に、ニューヨーク、サンフランシスコ、ロンドン、ペトログラード（現サンクトペテルブルク）、パリに事務所を開いた。[*19]

フーバーが大きな富を得たのは、ビルマ（現ミャンマー）における鉱山事業（鉛、亜鉛、銀）による。ビルマは一八八六年に英領となって以来、その豊富な鉱物資源が注目されていた。フーバーはビルマでの開発事業に個人資産を注ぎ込み、それが大きな成功を収めた。新たな鉱脈を発見したのではなく、採掘・精錬方法の改良あるいは経営の改善で不採算鉱山を金のなる木に変えたのである。

どこの鉱山でも地下水の処理は困難を極めた。せっかくの優良な鉱脈も水が抜けなければ無価値になった。ビルマでは、地下におよそ二マイル（三・二キロメートル）の排水トンネルを三年かけて完成させている。また、新規の鉱山開発は無人の地から始まる。開発にはまず人の住める環境を構築しなくてはならない。幅広いインフラストラクチャーの構築業務が必要である。フーバーにはその才能があった。

話は若干逸れるが、フーバーは大統領時代（一九二九年から三三年）に給与をもらわなかった。この時代に十分すぎるほどの富を築いていたからだ。フーバーは、ビジネスの成功を可能にしてくれた母国アメリカに感謝した。その恩返しをしたかった。それが無給で大統領職を務めた理由だった。大統領時代に給与を受けなかった最初の政治家がフーバーだった。ジョン・F・ケネディ大統領も無給を通したことで知られている。不動産開発で財をなしたドナルド・トランプ大統領も同様で、大統領給与はお気に入りの啓蒙団体や政府機関の予算増額のために全額寄付している（例：二〇一九年第4四半期、二〇二〇年第1四半期の給与は保健福祉省の新型コロナウィルス対策に寄付された）。

フーバーは独立してから一九一四年までの短期間で築いた資産で、その後は収入を必要としなかった。彼の一九一四年以降は、すべてが母国アメリカへの、あるいは大袈裟に言えば、人類の幸福のための恩返しの人生であった。

第一次世界大戦と食糧支援

フーバーの独立起業から六年が経った一九一四年八月三日、第一次世界大戦が勃発した。この大戦は同年六月二十八日にサラエボで起きたオーストリア・ハンガリー帝国（以下墺とする）の皇位継承者フェルディナント暗殺事件に端を発していることはよく知られている。暗殺にはセルビアの秘密組織「黒い手（Black Hand）」が関与していた。この組織はロシアと深い関係にあった。墺のセルビアに対する抗議が宣戦布告となり、それが各国に負の連鎖を起こした。その模様は次頁の諷刺画がよく表している。

暗殺の日から墺がセルビアに宣戦布告するまでおよそ一カ月あった。結局、その宣戦布告が引き金になり、ロシア、ドイツ、フランス、イギリスが次々に参戦した。諷刺画の右端に、最後に参戦を決めたイギリスが描かれている。今から見れば、負の連鎖が続く多くの場面で、大戦に至らないような外交的解決ができたはずだった。しかし、ヨーロッパ各国は夢遊病者のようにふらふらと世界大戦への道を歩んだ。ヨーロ

世界大戦に至る「負の連鎖」を描いた諷刺画

ッパには、フェルディナント暗殺事件前にも複数回の危機があった。それでもなんとか落としどころを見つけて処理してきた。それがこの時にかぎっては、なぜかできなかった。

右端にあたふたとやって来るイギリスの姿が描かれているのは、イギリスは最後まで大陸の争いには関わらないとする勢力が内閣（ハーバート・アスキス政権）の大勢を占めていたからだった。大陸諸国にはイギリスは参戦しないだろうとの見方が強かった。ドイツがフランス攻撃のためにベルギーに通過を求めたとき、英国がベルギーに対して中立保障した条約（ロンドン条約）を持ち出し、参戦に舵を切らせたのは海軍大臣のウィンストン・チャーチルだった。ロンドン条約は一八三九年に結ばれた、カビの生えた証文だった。

戦争の勃発で英国からアメリカに向かう客船は運航を一時停止した。銀行も業務を停止した。ヨーロッパ各地から多くのアメリカ人がロンドンに逃げた。その数は六週間で十二万に膨れ上がっていた。ロンドンにいたフーバーは、故国に帰れずに困窮する同胞をそのままにしておけなかった。妻ルーとともに八方手を尽くして彼らの帰国を支援した。[*20] このときからフーバーの人生は公的なものとなった。それまでに蓄えた十分な資産が彼の活動を支えた。

フーバーの活躍は米駐英大使館を通じてホワイトハウスに伝えられた。

ウッドロー・ウィルソン大統領がフーバーに感謝の親書をしたためたのは、一九一四年九月二十四日のことである。

〈親愛なるフーバーご夫妻

駐英国大使が、ロンドンに集まった我が国民の救援にあたって、お二人の素晴らしい活躍があったと知らせてきました。お二人の我が国への忠誠の思いとその行動に感銘を受けました。お二人の尽力で救われた我が国民に代わって感謝の意を伝えるものです。

ウッドロー・ウィルソン〉

ロンドンに足止めされた同胞を故国に送り返す事業を成し遂げたフーバーは、ヨーロッパ大陸で新たな問題が発生していることを知る。ドイツおよびベルギー、北フランスで飢饉が発生していたのである。原因は人災であった。英国がドイツの港湾を海上封鎖したのである。軍需品が敵国に渡ることを防ぐことが狙いであったが、イギリスは食糧までも軍需品とみなした。このためスカンジナビア諸国（中立国）の船舶でさえもドイツの港に近づけなくなった。

婦女子が飢えても構わない。戦いに勝つためには敵国民の戦意を奪う。情け容赦のない政策をイギリスはとった。確かにそのやり方は効果を発揮した。それはドイツの餓死者の数字に表れている。イギリスが決して「紳士の国」ではないことを示している。

港湾封鎖（食糧不足）が原因とされるドイツ国内の死亡者数推移[*21]

一九一五年	八万八二三五人
一九一六年	一二万一一一四人
一九一七年	二五万九六二七人
一九一八年	二九万三七六〇人

イギリスの海上封鎖はドイツ領土だけではなく、占領下にあったベルギー国民をも

苦しめた。フーバーはその窮状を何としても救いたかった。一九一四年九月、彼はベルギー救援委員会（The Commission for Relief in Belgium）を設立し、会長に就任した。フーバーは鉱山経営の経験を存分に生かした。輸送手段（船舶）や安全ルートの確保、関係各国との調整、基金の募集、組織づくり。インフラストラクチャーの全く存在しない僻地の砂漠やジャングルの地下に眠る鉱脈を、利益を生む宝石に変えた経験が生かされた。休戦（一九一八年十一月十一日）までの四年間で、およそ十億ドルの基金を集め、五百万トンの食糧をベルギーや北部フランスに届けた。[*22]

イギリスは、休戦がなってもドイツへの港湾封鎖を解かなかった。ドイツ国民を飢えさせ、ドイツには過酷なベルサイユ条約に署名させるためであった。そのため休戦後も多くのドイツ国民が飢えて死んだ。休戦後は救援活動がやりやすくはなった。結局、休戦後の二年間に千九百万トンの食糧を配給した。救済した国はドイツ、ベルギーに留まらず周辺各国も含めた二十二カ国に及んだ。この時期の活動で、フーバーにはヨーロッパ各国首脳との人脈ができた。

商務長官時代、大統領時代

大戦期そして休戦後の混乱期における食糧支援事業を終えたフーバーはアメリカに戻った。一九二〇年三月、フーバーはアメリカ鉱山・冶金エンジニア協会（The

American Institute of Mining and Metallurgical Engineers）会長に就任した。就任演説に彼の思想が垣間見える。[*23]

〈「エンジニアの職分は資本（家）と労働（者）の間に立つ（潤滑油のような）存在である」

「我々はワシントン議会から何かの施しを得ようとは思わない。我々の望むのは効率の良い政府である」

「連邦政府はあまりに中央集権化してしまった。そのためにまだまだ無駄が目立つ。多くの会社が借金を抱え、高率の税に苦しんでいる。金融による信用創造は巨額となり、（経済活動は）投機的になり、生産性の低下が顕著である」〉

彼は非効率の目立つ中央集権的政府（大きな政府）を嫌い、民間の活力を利用した経済成長を主張していることがわかる。つまり小さな政府論者であった。

この年の大統領選挙では、ウォーレン・ハーディング（共和党）が勝利した。ハーディングは、フーバーを商務長官に抜擢した。ハーディングは任期途中に死去（一九二三年八月）し、カルビン・クーリッジ副大統領が昇格した。彼は一九二四年の選挙でも再選され、フーバーを留任させた。

八年間の商務長官時代にフーバーは、米国企業の生産効率向上の施策を進めた。特筆すべきは、工業製品の標準化を進めたことである。[*24]標準化は効率的な大量生産の基礎となる。フーバーはアメリカ・エンジニアリング標準化委員会（ＡＥＳＣ）を支援し、この組織が米国国家規格協会（ＡＮＳＩ）に発展した。現代では標準化は世界的な流れとなり、国際標準化機構（ＩＳＯ、一九四七年創設）が世界全体の規格化、標準化を担っている。ＩＳＯ認証の作業は製造業に携わる者にとっては避けて通れない。日本でも全国にある製造工場の多くが、ＩＳＯ９０００（品質管理基準）やＩＳＯ９００１（品質マネジメントシステム）認定工場の看板を誇らしげに掲げている。現代につながる品質標準化を推進した人物がフーバーであることを知れば、彼に対する親しみもまた湧いてこよう。フーバーが標準化に注力したのは、政府が民間活力向上の邪魔になってはならない、活性化の触媒になるべきであるという彼の思想を実践したものだった。

一九二八年の大統領選挙では共和党候補に推された。十一月の選挙では民主党候補アル・スミスを破り、第三十一代大統領に選出された。獲得選挙人数では四百四十四対八十七、一般得票率では五八パーセント対四一パーセントの圧勝だった。

ここまでの記述で明らかなように、フーバーには政治家の経験はない。実業界で成功を収めると、そのまま行政官となった。大統領への王道である州知事や、上院議員の経験がないまま大統領の椅子を射止めた。その意味では順風満帆であった。しかし大統領就任後すぐに、フーバーのその後の政治家人生を暗くしてしまう事件が起きた。一九二九年十月末、ニューヨーク株式市場が暴落した。世に言う一九二九年の世界恐慌が、大統領就任後わずか七カ月で起きたのである。

フーバーが商務長官を務めた一九二〇年代のアメリカは「狂騒の二〇年代（Roaring Twenties）」と呼ばれる。第一次世界大戦の結果、世界の金融センターはロンドンからニューヨークに移った。連合国の軍需工場と化したアメリカ産業界は巨額の利益をあげ、その資金は金融システムを通じて国内市場に溢れた。潤沢な金融資産でアメリカは未曽有の繁栄を見せた。当時は銀行業務と証券投資業務は分離されていなかった。銀行は流れ込んだ資金を存分に株式市場に注ぎ込んだ。日本の一九八〇年代のバブル期を知る者にとっては、アメリカの一九二〇年代を想像することは難しくない。八〇年代の日本に似た状況が十年続いていたのである。フーバーはそのバブルがはじける年に大統領になるという不運を背負った。

フーバーが政権を担った時代は財政均衡が当然と見なされていた。財政赤字を生む為政者は無能と非難される時代であった。フーバーは、小さな政府つまり民間の活力を奪わず経済を活性化させる触媒としての政府を理想としていただけに、財政規律を乱す予算は組めるものではなかった。積極的な財政支出による経済回復の道を理論的に示したのはジョン・メイナード・ケインズであったが、まだその理論は完成されていなかった。ケインズの『雇用・利子および貨幣の一般理論』の発表は一九三六年のことである。

それでもフーバーは、一九三〇年度は若干の赤字（〇・五パーセント程度）を覚悟して予算を組んだ。翌三一年度は四パーセントの赤字予算を計上した。[*25] 未曽有の世界不況に特効薬はなかった。それまでの常識であった均衡予算を破る、恐る恐るの経済運営だった。この時期の大型公共投資の好例は、一九三一年に着工されたフーバー・ダムである（ネバダ、アリゾナ州境にコロラド川を利用して建設。竣工は一九三六年）。

一九三二年の大統領選挙はたちまちやって来た。選挙戦でフーバーをこき下ろしたのが民主党候補フランクリン・デラノ・ルーズベルト（FDR）だった。フーバー政権を「平和時における史上最悪の浪費政権だ」と罵り、「どれほどうまく取り繕っても、（無駄遣いの法案を）隠すことはできない。財政赤字を止め、借金を止める勇気。今こそそれが必要なときである」[*26]と訴えた。そのうえで、財政を再び均衡させると選挙民に約束した。後にケインズ政策の代名詞ともなるニューディール政策をとり、公共投資の大盤振る舞いを進めた大統領の言葉とは思えない公約である。しかし、それはまぎれもなく、後に「借金王と呼ばれる男（Franklin Deficit Roosevelt）の国民への公約[*27]」だった。

『ニューヨーカー』誌（1933年3月）

フーバーは、「財政赤字を作りながら不況を克服できない無能な大統領」のレッテルを貼られた。フーバーの名は困窮を表す形容詞となった。「フーバーの毛布（Hoover Blanket）」は、家を失った浮浪者が暖を取るために体に巻き付けた新聞紙を意味した。「フーバーのポケット（Hoover Flag）」は、ひっくり返して外に剥き出しても一銭も出てこないポケットを小旗のようにパタパタと振る状態を意味した。「フーバー村（Hoover Ville）」は、ホームレスが建てた掘立小屋の並ぶ集落を指した。

無能と揶揄（やゆ）されながらも、フーバーは世界に広がる不況を何とかしなくてはならないと考えた。フーバーは、世界各国の指導者を集めた世界経済会議（ロンドン国際経済会議）を呼びかけた。選挙戦の敗北で自身が会議をリードすることは叶わなかった。会議では新大統領となるルーズベルトに主導権を発揮するようフーバーは願った。しかしFDRは非協力を決めた。フーバーはこの会議を通じて通貨を安定させ、関税障壁を排除することで世界交易を再活性化させようとしていたのである。フーバー退任後に開催された会議（一九三三年六月〜七月）ではアメリカ代表団（団長コーデル・ハル国務長官）はイニシアティブを発揮しなかった。FDRの指示であった。会議は何の成果も生まなかった。世界各国はブロック経済化の道をひた走った。

一九三三年三月四日、フーバーはFDRの大統領就任式に向かう車に同乗した。大統領としての最後の公務だった。その模様を『ニューヨーカー』誌の表紙がイラストにした（右頁）。二人の心境をよく表した諷刺画だった。こうしてフーバーは住み慣れたワシントンを去った。

ニューヨークに帰るフーバーにもはや警護はつかなかった。暗殺を警戒したフーバーは警護を望んだがFDRは拒否していた。

【注】

＊1　Francis William O'Brien, *The Hoover-Wilson Wartime Correspondence*, The Iowa State University Press, 1974, px.

＊2　フーバーのオレゴン時代の記述の出典は以下。
Herbert Hoover, *The memoirs of Herbert Hoover; Years of Adventure 1874-1920*, The Macmillan Company, 1951.
Zay Jeffries, *Herbert Clark Hoover 1874-1964*, National Academy of Science, 1967.

フーバーのオレゴンでの少年時代については左記サイト。
http://hooverminthorn.org/herbert-hoovers-oregon-boyhood/

＊3　当時の西部アメリカインディアンの状況については拙著『日米衝突の根源　１８５８―１９０８』12章「フロンティアの喪失」（草思社、二〇一一年）に詳しい。

＊4　*The memoirs of Herbert Hoover*, pp13-14.

＊5　*Herbert Clark Hoover 1874-1964*, pp271-272.

＊6　同右、pp272-273.

＊7　同右、p273.

＊8　*The memoirs of Herbert Hoover*, p33.

＊9　*Herbert Clark Hoover 1874-1964*, p274.

＊10　*The memoirs of Herbert Hoover*, p36.

＊11　同右、p37.

＊12　同右、p35.

＊13　同右、p37.

＊14　渡辺惣樹著『日米衝突の萌芽　１８９８―１９１８』草思社、二〇一三年、二三七―二四一頁（文庫版三〇一―三〇五頁）。

＊15　*The memoirs of Herbert Hoover*, p5.

＊16　*Herbert Clark Hoover 1874-1964*, p275.

＊17　*Herbert Clark Hoover 1874-1964*, p276.

＊18　同右、pp276-277.

＊19　同右、p278.

＊20 *The Hoover-Wilson Wartime Correspondence*, p3.
＊21 Patrick J. Buchanan, *Churchill, Hitler and the Unnecessary War*, Crown, 2008, p78.
＊22 *The Hoover-Wilson Wartime Correspondence*, p5.
＊23 The Only Way Out, *Mining and Metallurgy*, Number 159, March 1920.
＊24 *Herbert Clark Hoover 1874-1964*, p283.
＊25 Robert Murphy, Did Hoover Really Slash Spending?, *Mises Daily*, May 31, 2010.
＊26 ハミルトン・フィッシュ著、渡辺惣樹訳『ルーズベルトの開戦責任』草思社、二〇一四年、三三—三四頁（文庫版四二—四三頁）。
＊27 同右、三四頁（文庫版四三頁）。

第二章　『裏切られた自由』を読み解く
その一：共産主義の拡散とヨーロッパ大陸の情勢

第一章ではハーバート・フーバーの人となりを描写した。人物の生い立ちを知らずして回顧録は味わえない。本章からいよいよ『裏切られた自由』を読み解いていく。

「編者序文」を読み解く：なぜ出版が遅れたのか、歴史修正主義とは何か

『裏切られた自由』本文の前に、編者ジョージ・ナッシュ氏による長文の序文がある。この序文には出版が遅れた事情と、歴史修正主義の本質が書かれており、フーバーの『裏切られた自由』の位置づけを知る意味で重要である。

まず出版の遅れについての理由が明らかにされている。「はじめに」で、フーバーが真珠湾攻撃の報を聞いたときの感慨を書いた。それはフランクリン・ルーズベルト大統領（ＦＤＲ）がついに「何かやらかしたな」という感触であった。当時、ＦＤＲ政権が日本にいかなる外交を仕掛けていたのかは皆目わからない状態だった。ワシン

トンの議会も国民も、ＦＤＲ政権が実質的な最後通牒（ハル・ノート）を日本に突きつけていたことを知らなかった。だからこそ、不干渉主義者の重鎮であったハミルトン・フィッシュ下院議員でさえも、日本の不意打ちのような真珠湾攻撃に憤り、議会代表として対日宣戦布告を支持する演説を行なった。

しかしフーバーには鋭い勘があった。ＦＤＲ政権の対日外交の実体は闇に隠されてはいたが、ＦＤＲが「何かやらかした」に違いないと感じた。だからこそ、国民に見えないところでルーズベルトはいったい何をしていたのか、そして何をしようとしているのかを記録しなくてはならないと考えた。

編者序文は、一九五一年十一月の、フーバーと友人ジョン・Ｗ・ヒルとの会話で始まる。真珠湾攻撃からおよそ十年経った頃のことである。フーバーの調査研究も十年目を迎えていた。二人の会話は次のようなものだった（「編者序文」）。

〈「世界はまさにぐちゃぐちゃになってしまいましたね」（ヒル）

「そのとおりだ」（フーバー）

「私は従前からこの混乱は（我が国の）政治家たちの失敗に原因があると考えてきました。この問題については誰かがしっかりとした本を書き残すべきだと思っています。そうした本が出版されれば長きにわたって読み継がれる書になるはずです。

たとえば、『世界を変えた一五の戦い』（E・S・クリーシー著）と同様に古典となるにちがいありません」

「まったくそのとおりだと思う。しっかりした本が書かれなくてはならない。その第一章の内容がどんなものになるべきかは、今ここで君に教えることができる」（フーバー）

「それはどんなものですか」（ヒル）

「一九四一年六月、ヒトラーはソビエトとの戦いを開始したが、フランクリン・ルーズベルトはソビエトを助ける側にまわった。我が国はあの二人の馬鹿野郎（ヒトラーとスターリン）を徹底的に戦わせればよかったのだ。それが第一章になる」（フーバー）

「素晴らしい本になるのではないですか。ぜひご自身でお書きになったらどうですか」（ヒル）

「僕には時間がない。君が書いたらどうだい」（フーバー）〉

この会話のあった一九五一年末には、ルーズベルト（とそれに続いたトルーマン）の外交の愚かさに、ヒルのような一般人でさえも気づいていたことがわかる。ヒルは広告代理店の幹部であり、歴史の専門家でもないし政治家でもなかった。

一九四九年には中国が共産化した。アメリカが日本との戦いを始めたのは、表向きは日本の対中外交を変えさせることが目的だった。ハル・ノートは中国からの日本軍の全面撤退を要求していた。意図的に「中国からの撤退」という言葉を使い、そこに満州あるいは台湾が含まれるのかは曖昧にした。日本を混乱させるためだった。アメリカの太平洋方面の戦いで命を落とした若者は、中国国民党（蔣介石）を救うために死んだはずだった。しかし、日本の降伏からわずか四年で中国は共産化した。アメリカの若者は中国共産党のために死んだのである。

朝鮮半島でも戦いが始まっていた（一九五〇年六月二十五日）。北朝鮮軍十三万五千の侵攻で始まった戦いは、国連軍の反撃で短期間のうちに終わるはずだった。しかし中国人民解放軍（義勇軍）の介入で長期化した。フーバーとヒルが前述の会話を交わした一九五一年十一月は、三十八度線による南北朝鮮の分割がほぼ固定化した時期であった。東欧諸国も共産化し、アメリカの一般国民は、先の大戦はソビエト共産主義者の勢力を拡大させるだけのものではなかったのかとはっきりと気づいたのである。

フーバーはヒルと会話した時期には、ルーズベルト外交を批判する書をすでに書き上げていた。しかしフーバーはその後も資料を精力的に蒐集し、内容を深化させた。可能なかぎり感情を抑える表現に変えた。ルーズベルト（とチャーチル）外交の過ちについて、資料にそれを語らせる方法をとった。それが結果的に学術的な価値を高めることになった。

なぜフーバーはこれほど自身の意見を抑え、事件の連鎖の描写を通じて、つまり事実だけに立脚した書き方に変えたのか。これについて筆者は「なぜアメリカはルーズベルト批判を許さないのか」と題した論文（『アメリカの対日政策を読み解く』草思社、二二九頁）で述べたので、読者は参考にされたい。要は、ルーズベルト外交があまりに愚か過ぎ、これを批判されてしまえば、アメリカの戦後外交は根底から破綻することは間違いないからだった。

ルーズベルト外交によって、ソビエト共産主義の東西への拡散を防いでいた二つの強国、日本とドイツは崩壊した。その結果が、堰を切ったような共産主義の拡散だった。それを抑え込む軍事力を持つ国はアメリカしか残っていなかった。共産主義者との戦いはアメリカ一国で進めざるを得ず、再びアメリカの若者に死を覚悟させなくてはならなくなった。アメリカは「孤独な世界の警察官」となってしまった。

そうした中で、第二次世界大戦の若者の犠牲は〝犬死〟だった、ルーズベルトがあの大戦に干渉しなければ世界はより平和だったはずだ、という歴史観はアメリカの為政者にとってタブーとなった。正しいとか間違っているとかの問題を超えて、議論さえも封じる空気が出来上がった。それほどに戦後アメリカは追い込まれたのである。

アメリカの指導者は御用学者（釈明史観主義者）を使って、ルーズベルト外交批判を徹底的に抑え込んだ。「日本とドイツは問答無用の悪の国」であり、「世界制覇を目論む危険な国だった」、「アメリカが叩き潰さなければ、世界は全体主義に覆われ自由を失っていた」とする歴史書で学校教育や言論界を埋め尽くさせた。それに異議を唱える学者や評論家には「歴史修正主義者」のレッテルを貼り、彼らの評判を貶めた。

フーバーはそうした自国の空気をわかっていた。だからこそ表現や構成に工夫を重ね続けた。新たに明らかになった事実も加え、ヒルとの会話の時点ですでに書き終わっていた原稿をさらに昇華させていった。

一九六三年九月、フーバーは二十余年の歳月をかけた「大事業」を完成させた。出版に向けての最後の作業にかかっていた一九六四年十月二十日、フーバーの命がついに尽きた。二カ月前に九十歳の誕生日を迎えたばかりであった。

ナッシュ氏の序文には、フーバーの遺族や関係者が議論の末、フーバーの後半生をかけた「大事業」を出版しないことに決めた経緯が書かれている。この部分は戦後アメリカの言論空間の「空気」を理解するうえでも重要な論考になっている。読者におかれてはフーバーの『裏切られた自由』本文の解読にかかる前に、ナッシュ氏の序文をじっくりと読み込んでいただきたい。

序文には、一九三三年三月の大統領退任以降のフーバーの活動も丁寧に書き込まれている。ルーズベルトは、参戦はしないという言葉とは裏腹に、現実には参戦に向けた外交に邁進していた。そのことに気づいたフーバーは、不干渉こそがアメリカの取るべき立場だと国民に繰り返し訴えた。それがよく理解できるのが以下のスピーチである。ナチスドイツのポーランド侵攻の日（一九三九年九月一日）の夜に、国民に訴えたラジオ放送の言葉だが、フーバーの思想の核心を示している（「編者序文」）。

〈「（ナチス体制を嫌うアメリカ国民は、民主主義国に同情するだろうが）アメリカはヨーロッパの問題を解決できないことを肝に銘ずるべきだ。我が国ができることは、あくまで局外にいて、アメリカの活力と軍事力を温存することである。その力を、必ずや訪れるはずの和平の時期に使うべきである。それこそが我が国の世界への貢献のあり方である」〉

理想主義に燃えたウッドロー・ウィルソンは第一次世界大戦に参戦した。しかしヨーロッパの宗教問題も民族問題も何一つ解決されなかった。その苦い経験を踏まえたうえでの言葉だった。アメリカ国民はフーバーのこの言葉を理解していた。フーバーと同じようにアメリカのヨーロッパ問題不介入を訴えるアメリカ第一主義委員会の主張も国民の耳に届いていた。アメリカ国民の八〇パーセント以上が、ヨーロッパ問題不干渉の立場を取り続けた。

日本の真珠湾攻撃さえなければアメリカは参戦できなかった。参戦を目論むFDRの作戦が見事なほどにはまった事件が真珠湾攻撃であった。経済制裁で壁際に追い詰められた日本の止むにやまれぬ反撃だったとはいえ、戦略的には愚かな戦いだった。真珠湾攻撃さえなければ、アメリカ国民が願っていたように、アメリカは国力を温存したままでヨーロッパや中国の戦いを終わらせるために、真の意味での仲介役の機能を果たす可能性が残っていた。

ルーズベルト外交の最初の失敗、ソビエトの国家承認

東西冷戦は一九八九年十二月のマルタ会談（マルタ・サミット）を以て終焉を迎えた。地中海の島マルタでミハイル・ゴルバチョフ共産党書記長とジョージ・H・ブッシュ大統領が会見した。サミット後の記者の質問にゴルバチョフは次のように答えた。

〈「私は大統領に対して、我が国が対米戦争（hot war）を仕掛けることはないと言明した。今後は、相互協力の可能性を探っていく[*1]（後略）」〉

それから三十年以上が経過したが、東西冷戦時代の緊張感は未だに記憶に新しい。幸いに現代人は、最悪の事態として怖れられていた核戦争を回避して冷戦が終わった

ことを知っている。しかし、前項で紹介したフーバーとヒルの会話の時期は東西冷戦が始まったばかりであり、その後の展開は誰にも予想できなかった。核兵器が使用される「熱」戦になることも十分に考えられ、誰もが怯えた時代があった。それが一九八九年まで続いていた。

どうしてこうなってしまったのか。それを誰もが考えた。フーバーもそれを見極めようとした。フーバーは、失敗の始まりはルーズベルトによる共産国家ソビエトの承認であったとしている。だからこそフーバーは第一章から第五章でそれを検討した。一九一七年にソビエトが成立してからFDRが政権につくまで、四人の大統領（ウィルソン、ハーディング、クーリッジ、フーバー）と六人の国務長官がいた。誰一人としてソビエトを国家承認しようとしなかった。その理由は、ソビエト共産党が、世界各国に散らばる共産主義者・社会主義者、あるいは共産党員を利用して内治の混乱を仕掛けていたからだった。

アメリカでもそのことは問題になっていた。アメリカ議会は実情を調査する委員会（一九三〇年設置、委員長のハミルトン・フィッシュ議員の名をとって「フィッシュ委員会」と呼ばれた）を設けた。同委員会は共産主義者の活動を明らかにした報告書を出していた。

ところが、ルーズベルトは政権を取るとたちまちにソビエトを承認した（一九三三年十一月)。ソビエト代表としてワシントンに現われたマクシム・リトヴィノフ(外務委員)は次のようにルーズベルトに約束した(第1部第1編第2章)。

〈アメリカ合衆国の内政には一切関与しない。アメリカ合衆国の平穏、繁栄、秩序、安全を傷つける行為やアジテーション、プロパガンダを一切しない、そしてさせない。アメリカ合衆国の領土および所有する権利を侵(おか)したり、政治的変化をもたらし社会秩序を乱すような行為はしないし、させない。アメリカ政府を転覆させたり、社会秩序を混乱させる目的を持つ団体や組織を作るようなことはしない。〉

フーバーは、リトヴィノフのその後の発言を調べ上げ、ソビエトが対米赤化工作を止めることなど全く考えていなかったことを論証している。リトヴィノフは、自身のなした約束に反発したアメリカ共産党幹部に対して、「心配無用だ。あんな調印文書は紙切れ同然だ。ソビエトとアメリカの外交関係の現実の中ですぐに忘れられる」(同前)と語っていたのである。

アメリカと国交を結ぶことに成功したスターリンの喜びようは尋常ではなかった。初代駐ソ大使ウィリアム・ブリットがモスクワに現われると、スターリンは次のように言って歓迎した(一九三三年十二月)。

〈「ルーズベルト大統領に乾杯！　フィッシュ（ハミルトン・フィッシュ）などのうるさい連中の声を黙らせ、ソビエト連邦を承認してくれた大統領に乾杯！[*2]」〉

アメリカがソビエトを承認したことで、各国がそれに追随した。アメリカ国内にもソビエト政府の公的機関や民間組織が次々に設立された。それがアメリカ国内でのスパイ活動の温床となった。

フーバーが『裏切られた自由』の冒頭の部分でルーズベルトの「ソビエト承認事件」を取り上げたのは、アメリカがこの事件をきっかけに大きく左傾化していったからである。アメリカの左傾化は、ソビエトが国家承認をきっかけにダミーの工作機関を多数設立したことが要因ではあるが、アメリカ国内の知識人の多くが、それ以前に共産主義思想にかぶれていた事実もフーバーは見逃していない。第四章ではそうした人物がこの時期に政府組織に多数採用されたことを論証している。実名を挙げたリストも載っている。その長いリストが、ルーズベルト政権がどれほど左翼思想にかぶれていたか（侵されていたか）を示している。現在では、『ヴェノナ文書』によってフーバーの指摘は間違いないことが明らかになっている。

共産主義者の政府組織への凄まじいまでの浸透ぶりは戦後次々に明らかになってい

った。フーバーは次のように書いている（同前、第4章）。

〈一九四九年、下院非米活動委員会は、政府職員のうち三〇〇〇名が共産党員であったことを発表した。一九五三年には、二〇〇〇人以上が危険分子として解雇されたが、具体的な氏名は公表されていない。

一九五五年九月二十八日、公務員監視委員会委員長フィリップ・D・ヤングは、機密保持計画のもと、一九五三年五月二十八日から一九五五年六月二十日の間に二万七二〇名の政府職員を解雇したと上院調査委員会に報告している。

一九五五年十一月二十八日、同じくヤング委員長は、一九五三年五月二十八日から同年九月三十日の間に、三六八五名の職員を機密保持上の理由で解雇したことを報告している。さらに五九二〇名が、（履歴書への）不実記載が発覚したことで辞職したことも明らかにした。〉

フーバーが共産主義者として挙げた一人にアルジャー・ヒスがいる。彼はルーズベルトが新設した社会主義的性格の濃い組織、農業調整局に一九三三年に採用された。ルーズベルト政権内でのヒスの出世は目覚ましく、たちまち大統領補佐官にまで上りつめた。一九四五年二月のヤルタ会談では常にルーズベルトの横に立ち、アドバイス役を務めた。ヒスは一九五〇年にソビエトのスパイであることが確定し、有罪（偽証罪）となった。戦後の釈明史観の歴史書は、ヤルタ会談に及ぼしたヒスの悪影響を語ることはない。しかし、ヤルタで練られた戦後構想は、スターリンと、ヒスに操られたルーズベルトが作り上げたものといってよい。チャーチルはこの二人に手玉に取られていた。

それにしても一体なぜ、ルーズベルトはソビエトを国家承認したのだろうか。この点についてフーバーは明示的に語っていない。筆者は、スターリンの巧妙な西側ジャーナリスト懐柔工作があったと疑っている。アメリカがソビエトを承認していない時代、ソビエト情報の発信者は、ソビエトの政府広報機関紙を除けば、ソビエトが認めた西側ジャーナリストだけであった。

スターリンの当時の外交目標は、アメリカに国家承認させることだった。スターリンの工作のターゲットになったのは、『ニューヨーク・タイムズ』紙のモスクワ支局長ウォルター・デュランティ（赴任期間：一九二二～三三年）だった。ケンブリッジ大学で学んだ英国出身のデュランティは、チェーン・スモーカーでスコッチが大好きな、大物ジャーナリストで通っていた。彼の周囲には常に若い女性ジャーナリストの取り巻きがいた。

彼はスターリンに魅せられていた。スターリンが「大量殺人者」であることはすでにわかっていたが、それを報道することなく、スターリンの進める五カ年計画を称揚した。[*3] 文化大革命時代に毛沢東を賞賛した日本の中国特派員を彷彿させるジャーナリストだったのである。デュランティがいかに偽りのスターリン（ソビエト）情報を発信し続けたかは、S・J・テイラーが『スターリンのアポロジスト[*4]（釈明者）』（オックスフォード大学出版、一九九〇年）の中で赤裸々に報告している。

ルーズベルトはニューヨーク州知事時代に一時帰国したデュランティに会い、ソビエトに関する情報を求めた。デュランティはソビエトのことなら何でも知っていると見なされていた。ルーズベルトの関心は、ソビエトの金（ゴールド）保有量にあった。[*5] FDRは早い時期からソビエトを国家承認し、貿易再開の道を探っていたことがわかる。

ソビエトをバラ色に語るデュランティに代表される西側ジャーナリストのレポートは、アメリカ経済界にも強い影響を与えていた。デュランティらの報道は不況に喘ぎ、ソビエトとの貿易に光明を見出そうとしていたアメリカ経済界を積極的に刺激した。ルーズベルトのソビエト承認の考えは、アメリカ商工会、ハーバード・ビジネススクールの学長、外交政策協会（Foreign Policy Association）などに支持されていたのである。[*6]

一九三三年のソビエト国家承認事件についてはもう一つ、フーバーが指摘していない点を述べておきたい。それは、国務省がソビエトの国家承認に対して消極的だったことである。国務省のソビエト専門家はルーズベルトに対して、対ソ外交には十分な注意が必要であると、警戒的な報告書を提出していた。国務省は早い段階でルーズベルトの親ソ的態度に気づいたものと思われる。当時、ソビエト情報の蒐集に当たっていたのは国務省東欧部（一九二六年創設）だった。大のボルシェビキ嫌いのロバート・ケリー部長の下でロシア語を学んだ若手外交官がソビエトを分析していた。その中には後に外交史家として名を馳せたジョージ・ケナンや、FDRの対ソ交渉で通訳を務めることになるチャールズ・ボーエンがいた。

アメリカによるソ連邦国家承認（1933年）のために暗躍した『ニューヨーク・タイムズ』モスクワ支局長ウォルター・デュランティ。

東欧部は次のような報告書（一九三三年七月二十七日付）を出していた。[*7]

〈ロシアと普通の外交関係を結ぶことが難しいのは、指導者が世界革命思想を持っているからである。外交関係樹立のためには、彼らにその思想を捨てさせ、世界革命を惹起させる活動を停止させなくてはならない。より具体的に言うなら、我が国国内の革命志向団体に対して、モスクワはその指導、監督、指揮、金銭的支援などを行なっているが、これを止めさせなくてはならない。（ソビエトの国家承認には）これが先行条件となる。〉

ルーズベルトはこの報告書の指摘を受けて、リトヴィノフとの交渉では確かにこれを了承させた。しかし国務省の専門家を会談の場に同席させなかった。リトヴィノフの約束を実効あらしめるための具体的な手段も確保しなかった。その結果がアメリカ国内におけるソビエトのプロパガンダ工作の継続であり、アメリカ政府組織内への工作員の浸透だったのである。

ＦＤＲはこの報告書を受けて以来、ソビエトに対して警戒を促す国務省の専門家を遠ざけた。重要な場面でもソビエト専門家の意見を聞かず、会議にも参加させなかった。このことが後のヤルタ会談でのルーズベルトの失敗となったことは、フーバー研究所のアーノルド・ビーチマンが指摘している[*8]（「ヤルタ会談におけるルーズベルトの失策」二〇〇三年）。

一九三八年（開戦前年）の分析

フーバーは『裏切られた自由』の第6章から第15章を一九三八年のヨーロッパ各国、そして中国と日本の状況の分析に充てている。この年、フーバーはヨーロッパ各国首脳からの招待を受け、各地を旅した。第一次大戦期の救援活動に対して謝意を表したいというのが、招待の趣旨であった。一九三八年二月九日、ニューヨークを客船ワシントン号で発ち、三月二十八日にノルマンディー号で帰国した。

一九三八年は、ヨーロッパにおいてベルサイユ体制の矛盾が頂点に達した年だった。その年にフーバーがヨーロッパ主要国首脳の多くと会談できたことで、フーバーのルーズベルト外交を観察する目が研ぎ澄まされたことは間違いない。特に英国チェンバレン首相、ドイツのヒトラー総統との会談は注目される。

一九三八年はベルサイユ体制の足枷（あしかせ）の中で、着実に国力と軍事力をつけたナチスドイツが、いよいよベルサイユ体制の不正義解消に向けて始動した年でもある。この時期のフーバーのヨーロッパ訪問の意味を読み解くにあたって、大事な点を指摘しておきたい。それは、当時のヨーロッパの台風の目になっていたアドルフ・ヒトラーという政治家を見る現代人の目には、戦後に定着した歴史観に由来する曇りがあるという事実である。フーバーの一九三八年の分析を正確に理解するためには、これをいったん拭っておかなくてはならない。

一九三八年においては、ヒトラーのユダヤ人迫害は特に目立っていなかった。ユダヤ人を嫌う政策を進めていたことは間違いないが、ホロコーストは始まっていない。ユダヤ人迫害は一九三八年十一月九日の「水晶の夜事件」がよく知られている。この事件から次第に迫害は悪化していったが、ホロコーストとして現代人が知っている虐殺があるとの情報がアメリカに伝わったのは、開戦後の一九四一年から四二年頃のことである。そのときでさえも戦争に付きものの、一般的な虐殺事件として理解されていた。[*9]

一九三九年九月にポーランドへのドイツ侵攻を受けて英仏がドイツに宣戦布告した。これについては後述するが、ナチスドイツのユダヤ人迫害と英仏両国の対独参戦との直接の関連はない。一九三八年のヒトラーやナチスドイツは、現代人のイメージする姿とは違う。現代人は後に起きた事件を知っている。そのことが歴史解釈のプリズムを曇らせている。可能なかぎり同時代人の目で当時の事件を解釈するためには、プリズムの曇りの存在に気づき、それを意識的に拭わなくてはならない。

一九三八年時点でのヒトラーの評価は、ドイツの歴史家ヨアヒム・フェストの次の言葉に示されている。現代人からは想像もできないほどの高評価である。

〈もし一九三八年末にヒトラーが暗殺されたり、あるいは事故死でもしていれば、彼をドイツ史上最高の政治家の一人とみなすことに躊躇（ちゅうちょ）する者はほとんどいないで

あろう。[*10]〉

評価の高かった所以は、ひとえにヒトラーが見せた経済運営の手腕である。ヒトラーはルーズベルト同様に、一九三三年初めに民主主義制度を通じて政権の座についた。ヒトラーは国家社会主義思想に基づき、公共事業に国家予算を惜しみなく注ぎ込んだ。その成果は数字になってたちまちに表れた。ヒトラーが政権を取った時期（一九三三年初め）の失業者は六百万人だった。一九三六年にはそれが百万人にまで激減し、一九三七年から三八年に入ると労働力が不足するまでになった。実質賃金も一九三八年には、三二年比で一四パーセントの上昇を見せた。インフレはほとんど起きていない。一九三三年から三九年の消費財価格の上昇率はわずか一・二パーセントだった。

ナチス党の主張は、共産主義のように階級闘争を煽るものではなかった。すべての階級の底上げによる生活水準の向上を目指した。したがって労働者を大切にした。八時間労働、超過勤務手当、職業訓練、生産現場でのレクリエーション施設の充実を進めた。階級闘争を煽らない政策だけに、労働者の生活改善と同時に企業経営者あるいは管理者を敵視することもなかった。彼らの所得も大幅に改善を見せた。一九三三年から三七年の四年間で五〇パーセントの所得増となった。この間のＧＮＰの成長は、年率およそ一一パーセントにもなった。所得税も累進的であった。富裕層（年収十万マルク以上）の最高税率は三八パーセント程度であったが、人口のほぼ半分を占めた低所得者層の税率は四・七パーセントに過ぎなかった。

国民生活の向上は旺盛な消費がよく示している。一九三二年比で、一九三八年のワイン消費は五〇パーセント増、自動車保有台数は三倍になった。ドイツで生産を始めていた米国企業フォード、GM（オペル）も十分に利益を上げていた。[*11]

日本の戦後復興は、通産省の重工業復興を主眼とした傾斜生産政策に負っている。日本の戦後は、目覚ましい成長は評価されたもののインフレも激しかった。ナチスドイツ時代にはそのインフレも起こしていない。ドイツの「時代の空気」は現代人の想像をはるかに超えて楽観的だった。

いずれにせよ、当時のドイツ国民がナチス式の敬礼でヒトラーに敬意を示したのは、ヒトラーの演説の巧みさだけが理由ではなかった。国民に約束した豊かさを実現してみせたからだった。この時代のヨーロッパ大陸諸国はみな統制経済を採用していた。その意味で、当時のナチスドイツは必ずしも特異な存在ではなかった。しかも共産主義のように階級闘争を煽っていない。ドイツ民族すべての底上げを目指した。それがナチス人気の理由だった。ドイツ国民は確かに統制経済下で自由を喪失した。それに反発した人々の声が「釈明史観」の歴史書ではよく語られる。それでも国民の大勢は失った自由以上の経済的繁栄を得、ドイツ国民のプライドを回復した。そのことを素直に喜んでいた。これが一九三八年の時代の空気だったのである。

この時代にドイツ経済成長の原資となったのは、アメリカからの投資資金であった。第一次世界大戦を通じてアメリカは世界最大の債権国となった。戦後アメリカに還流した資金は新たな投資先を求めた。最も有望な再投資先がドイツだった。複雑な海外投資業務には国際法務のエキスパートが欠かせない。そのドイツ投資をリードしたのは後の米国務長官ジョン・フォスター・ダレスであった。当時ウォール街の国際法律事務所サリバン&クロムウェルの共同代表であったダレスのドイツ投資への関わりは、米人ジャーナリストのスティーブン・キンザーが著した『ダレス兄弟』[*12]の2章「ジョンの出世とアレン」に詳しい。誤解を恐れず単純化した言い方をすれば、「一九三八年は、アメリカからの投資資金を国家社会主義思想に基づいて効率的に運用したヒトラーのドイツが未曽有の興隆を見せた年」であった。

国力の発展に自信を持ったヒトラーは、念願であったベルサイユ条約の屈辱を晴らすべく行動を開始する。歴史家のガイルス・マクドノーは一九三八年を「ヒトラーのギャンブルの年」と位置づけ、この年の事件を丹念に追っている[*13]。

ヒトラーがギャンブルに打って出ることを決めたのは、ただ単に経済復興や再軍備が成ったからだけではない。イギリスが「ドイツの不正義解消の情念」を十分に理解していると確信したからでもあった。

ヒトラーは著作『我が闘争』の中で、イギリスとは戦いたくないことを明確に表明していたことは先に書いた。イギリスの政治家は左傾化したフランスとは違い、早い段階でヨーロッパ経済の復活にはドイツの再興が欠かせないと割り切っていた。そのうえで、ヨーロッパで最も警戒すべきなのは共産主義思想であることに気づいていた。その西漸の防波堤にドイツを使うべきだとの思想が、保守派の考え方の主流になっていた。

そのイギリスの考えは十分にヒトラーに伝わっていた。それを示す典型的な事件が元英国首相ロイド・ジョージのヒトラー訪問（一九三六年九月）だった。わずか十七年前のベルサイユ会議において、ヒトラーが憎み続けるベルサイユ体制を築いた敵国の指導者が、ヒトラーのドイツ・アルプスの山荘ベルヒテスガーデンを訪れたのである。

公式会談記録は残されていないが、会談の模様はユーチューブで確認することができる。会談を終えて笑顔で山荘を去るロイド・ジョージを、ナチス式敬礼で見送る警備兵の姿を見ることができる。この日の会談については、後日、ロイド・ジョージが『ロンドン・デイリー・エクスプレス』紙に寄稿（一九三六年十一月十七日付）している。記事は当時のイギリス保守派の心情を理解するうえで重要だ。それは次のようなものだった（渡辺訳）。

〈私はヒトラーと話した（見出し）

私はドイツ訪問から帰ったばかりである。短い滞在であっただけに、できることといえば、その場の印象を語ることぐらいである。あるいは、これまで新聞の報道あるいはドイツを間近に見てきた人の観察を通じて、私自身の頭の中に出来上がっていたドイツ観を再検討してみることぐらいである。

私は今回の旅であの有名な指導者（ヒトラーのこと）に会うことができた。また彼が進めてきたドイツの大きな変化を見た。彼の政治手法は、議会が機能している国では決して使えないものである。そのことに対する意見（批判）はあるにしろ、彼がドイツ国民の精神を鼓舞し、自信を回復させ、これからの社会と経済に対する希望を持たせたのは事実であり、素晴らしいことである。

ヒトラーは、四年間の指導で新生ドイツを築いたとニュルンベルクで語っていた。現在のドイツはあの戦争（第一次大戦）が終わってから十年間の惨めなドイツではない。あの頃のドイツ国民は、気持ちが砕け、何もかもに落胆し、不安に苛まれていた。存在の意義さえ見出せないほどであった。そのドイツが蘇った。いま希望と自信に溢れ、新しい生活への意欲を見せている。外国からの干渉なしでそれができると信じている。

ドイツはあの戦争以来、初めて他国から脅かされているという不安を一掃することができた。その喜びの気持ちがドイツ全土に広がっている。私自身も今回の旅でそれを実感した。実際、旅先で会ったドイツをよく知るイギリス人も感激していたのである。

この変化をもたらしたのはたった一人の男（ヒトラー）である。彼は生まれながらにして指導者であった。人を惹きつける魅力がある。強い意志を持ち、恐れを知らない勇気がある。彼は名前だけの指導者ではない。現実に先頭に立ってドイツ国民をひっぱっている。彼は、ドイツを包囲する国々の脅威を取り除き、国民に安心をもたらした。飢饉の恐怖から国民を解放した。ドイツ国民はあの戦争中、そして戦いが終わってからの一年間は飢えに苦しみ、七十万人以上が命を失った。その頃に生まれた子供たちの体形にその後遺症を見る。ヒトラーは、この国を絶望、貧困、屈辱から解放した。だからこそ新しいドイツにおいて揺るぎない権威を獲得したのである。

彼の人気は若年層では圧倒的である。もちろん老年層も彼を支持するが、それは彼を信用するという意味である。若年層はヒトラーを偶像視している。国民的英雄なのである。単なる人気のある政治家の域を超えている。ドイツを失望から救い、落ちた国家権威を回復してくれた真の英雄なのである。

確かに、ドイツではおおっぴらに政府を批判することは許されていない。だからといって、政府批判がないわけではない。講演会ではナチス党の演者が自由な雰囲気の中で批判されている。そうでありながら、ヒトラーに対する不満の声は聞かれなかった。彼は、あたかも王政国家の国王のようであって、国民は彼を批判しないのである。国王以上の存在なのかもしれない。ドイツにおけるジョージ・ワシントンといってもよいだろう。すべての敵を排除してドイツを勝利させた人物として畏敬しているのだ。

ヒトラーが国民の心を摑んでいることを理解しない者は、私の描写を大袈裟だと思うだろう。しかし私の書いていることは真実なのである。偉大なドイツ国民は、より懸命に働くだろうし、自己犠牲も厭わないであろう。もし再び戦うことをヒトラーが求めたら、強い意志をもってそうするであろう。これがわからない者は、新生ドイツが持つ多くの可能性も理解できない。

ドイツは昔ながらの帝国主義的な国家に逆戻りすると疑っている者もいる。こういった連中は、ドイツの変貌の本質がわかっていない。彼らは、ドイツ（の再建した）陸軍が国境を越えて隣国を侵略するかもしれず、それがヨーロッパの安全を危うくするなどと言うが、彼らは新しく生まれている世の中を見ていない。

ヒトラーがニュルンベルクで語ったことは間違っていない。ドイツは侵略者に対しては最後まで抵抗するであろうが、他国を侵略する意図はない。ヨーロッパは、ドイツ一国（他の国でも同様だが）によって蹂躙されるとか、あるいは転覆させられるほど軟弱ではない。ドイツがどれほど軍事力を増大させても、そのことは変わらない。みな先の大戦から学んだのである。

　ヒトラーは先の大戦で現実に前線で戦った。自身の経験から戦争の何たるかをわかっている。現在の状況では侵略はかつてよりも難しくなっている。（中略）ヒトラーはイタリアの強さも認識している。現在のロシア軍が一九一四年とは比べ物にならないほど増強されていることもわかっている。大戦前のドイツには、ヨーロッパ覇権を獲得するという軍国主義的な野望があった。しかし現在のナチズムにはそのような気配など全くない。〉

ロイド・ジョージの訪問に続いたのがハリファックス卿である。ベルリンの国際スポーツ博覧会（The International Sporting Exhibition）への出席に併せて、彼もベルヒテスガーデンまで足を延ばしてヒトラーと会談している（一九三七年十一月十九日）。ハリファックス卿は、ベルサイユ条約によるオーストリア、チェコスロバキアおよびダンツィヒに関わる線引きの変更については反対しない、と伝えた。ただし、それを平和的な手段で行なうことが条件であった。ハリファックス卿の考えはイギリス政府の考えを示すものであることは、彼が翌三八年二月に外務大臣（チェンバレン内閣）に登用されたことからも明らかだった。ヒトラーは、ハリファックス卿の訪問をことのほか喜んだ。

〈卿が山荘を後にしたときのヒトラーは高揚していた。「ハリファックスは賢い政治家だ。ドイツの主張を百パーセント支持してくれた」と述べた。[*14]〉

ヒトラーとの会談

フーバーがチェコスロバキア経由でベルリンに入ったのは、一九三八年三月七日のことだった。フーバーの興味は、前節で書いたように未曽有の経済発展を見せている経済政策の実態把握にあった。ドイツに入って最初に見学したのが新住宅開発計画の現場だったことからそれがわかる。ドイツ訪問前にはヒトラーとの会見は予定されていなかった。ベルリンに入ったフーバーに突然ヒトラーから招待があった。

この頃のフーバーのヒトラー理解は、先に書いたイギリス保守派の考えと同じであった。第1部第2編第7章（ドイツとイタリア）の冒頭に次のような記述があることでそれがわかる。

〈私は彼の演説、行動、あるいは書いたものを通じて、ヒトラーには三つの固い信念があることに気づいていた。第一はベルサイユ条約でばらばらになったドイツを再統一すること、第二は資源確保のためにロシアあるいはバルカン半島方面に領土を拡張すること、第三はロシアの共産主義者を根絶やしにすることである。第二の狙いは「生存圏（Lebensraum）」の概念として知られている。

三つの目標はヒトラーのエゴイズムの集大成とも言える。彼の考えはドイツ国民にも支持されていた。ドイツ国民は第一次大戦の敗北がもたらした屈辱を晴らしたかった。国をばらばらにされ、非武装化された。降伏後も港湾封鎖は解かれず、その結果多くの国民が餓死した。〉

ヒトラーがフーバーを招待したのは、第一次世界大戦時の食糧支援に対する感謝の意を伝えたかったからだった。ヒトラーは、飢えたドイツ国民に救いの手を差し伸べたフーバーへの敬意の念を強く持っていた。ヒトラーとの会見は一九三八年三月八日正午から十五分の予定だったが、大幅に延長された。

この会見でフーバーは、ヒトラーを狂信者であり、お飾りだけの愚か者だとする欧米の報道が間違っていることを確信した。ヒトラーは自身の言葉で国家社会主義思想に基づく経済再建を語った。情報の豊かさは彼の優れた記憶力を感じさせるものだった。

フーバーは、理路整然と語るヒトラーが、二度怒りを爆発させたことを記している。ロシアの共産主義について語ったときと、世界の経済政策を語る中で「民主主義」という言葉が使われたときだった。ドイツ国民は、第一次世界大戦の敗北の原因が、ソビエトの工作活動に沿ったドイツ国内の共産主義者たちの行動（ドイツ革命）にあったと信じていた。ヒトラーはソビエトロシアを文字どおり毛嫌いしていた。ヒトラーが民主主義を嫌悪していることも明らかだった。

民主主義のルールを経て権力を握ったヒトラーが、なぜ民主主義を嫌ったのだろうか。このことについてフーバーは触れていない。筆者は、ヒトラーが民主主義の持つ最大の欠陥に気づいていたからであろうと思っている。民主主義下の自由は、民主主義を否定する思想の自由までも認める。そのことを身に染みてわかっていたのがヒトラーではなかったか。民主主義が健全に機能しているかぎり、民主主義を否定する思想は少数派であり続ける。しかし、社会不安が高まったときにその健康なバランス感覚は崩れる。これが、民主主義が内包する最大の欠点である。

ヒトラーが政権を握った時期において、ドイツでは共産主義思想つまり民主主義否定の思想が大きな広がりを見せていた。ヒトラー内閣は一九三三年一月三十日に成立した。翌二月二十七日に国会議事堂の放火事件が起きた。共産主義者による仕業だとされ、三月五日の総選挙では共産党勢力が減退し、ナチス党が躍進を遂げた。一般の歴史書では、放火事件はナチス党によって仕組まれたものだとして、ナチス党を批判している。しかし、民主主義制度下では、民主主義を否定する思想が政権を取ることを認めている。そのような思想を持つ者が実際に政権を取りかねないときに、民主主義を守りたいと願う者はどのような行動を取るべきなのか。筆者はまだその解を見出していない。ヒトラーの解は、共産党を非合法化することであった。ヒトラーが民主主義を毛嫌いする理由はここにあったのではないか。その意味で、ヒトラーの共産主義嫌いと民主主義嫌いは同根だったのではないか。

フーバーはヒトラーとの会談を通じて、彼のソビエト嫌い、スターリン嫌いを目の当たりにした。

チェンバレンとの会談

第14章ではヨーロッパの旅の最終地であるイギリスでの模様が描かれている。当時の首相は保守党のネヴィル・チェンバレンだった。チェンバレンは、一九三七年五月に首相となった。先にハリファックス卿とヒトラーの会談について触れたが、ハリファックス卿をドイツに遣ったのはチェンバレンだった。会談でヒトラーを喜ばせたハリファックス卿を外務大臣に登用（一九三八年二月二十一日）したのもチェンバレンである。したがって、ヒトラーにハリファックス卿が語った言葉、つまりヒトラーを喜ばせた言葉はチェンバレンの考えでもあった。

フーバーの英国訪問の際も、チェンバレン首相との会談は予定されていなかった。突然の招待であり、その趣旨は、フーバーが終えたばかりのヨーロッパ大陸の旅の感想を聞きたいということであった。二人の会話は極めて重要である。一九三八年から三九年にかけてのイギリスの行動（の変化）は、第二次世界大戦の始まりの重要なファクターである。そしてまた、その裏でいかなる工作をルーズベルトが仕掛けたかを探ることは、第二次大戦の正確な理解には欠かせない作業だからである。

二人が会ったのは一九三八年三月二十二日のことである。ヒトラーとの会談からわずか二週間後のことであった。フーバーはその日、チェンバレンに語ったことをホテルに戻って書き留めた。以下がその備忘録である（第1部第2編第14章）。

〈一九一四年の大戦勃発以前のヨーロッパには希望、自信、発展、自由といったものがあった。あれから二四年が経ったが、人々からそうした感情は消え、恐怖と諦めが広がり、自由も抑圧されている。この状況を免れている国はほとんどない。この悪い状況を作り出しているのがドイツとロシアである。

ロシアはいま、ドイツに対する防衛準備で忙しい。ロシアが現時点で何か積極的に出てくることは考えられない。彼らができるのは、他国への内政干渉（工作活動）程度だろう。

ドイツの顔は東（ロシア）を向いている。ドイツ民族は陸の民である。彼らはさらなる領土の拡大を目指し、資源を欲している。増大する人口を養わなくてはならない。

飢えたドイツに開かれた広大な土地はロシアとバルカン半島である。

ドイツには復讐の念が根強い。国土を再統一したいと願っている。こうした要素に、独裁政治、拡張する軍、共産主義を潰すという強い意志、ヒトラーの不安定な性格といったものが重なる。これらがいつか大きな爆発を惹き起こすだろう。

再びハルマゲドンが起こるかもしれない。それが私の「勘」である。私はそのハルマゲドンはロシア領土で起こってほしいと思っている。決してフランスとドイツの国境付近で起きてほしくない。

私の得ている情報では、ドイツは一八カ月で準備を整えるということである。その後は何が起きても驚かない。

チェンバレン首相は私の「勘」に同意し、次のように述べた。〉

この描写は極めて重要である。フーバーのヒトラーを見る目とチェンバレンのそれが一致していたことを示している。二人とも、ヒトラーは必ず東に向かうと読んでいた。その行きつく先はスターリンとの壮絶な戦いであると予想していた。意見が一致したただけにフーバーのチェンバレンに対する評価は高い。「もしこの時点で、メディアのインタビューを受けていれば、私はチェンバレン首相は真に平和を希求する政治家であると論評しただろう。誠実であり、信念を持ち、それを実行しようとしていた。また、まさにイギリス紳士の気風を備えていた」（同前）と述べていることから、それがわかる。

ともかくフーバーもチェンバレンも、ヒトラーとスターリンが早晩壮絶な戦いを始めるだろうと考えていたのである。

【注】

＊1　*New York Times*, Dec. 4, 1989.

＊2　Susan Butler, *Roosevelt and Stalin*, Alfred A. Knopf, 2015, pp154-155.

＊3　Mark Y. Herring, Useful Idiot.
http://www.ukemonde.com/news/usefulidiot.html

＊4　S. J. Taylor, *Stalin's Apologist: Walter Duranty: The New York Times's Man in Moscow*, Oxford University Press, 1990.

＊5　*Roosevelt and Stalin*, p150.

＊6　同右、p151.

＊7　Arnold Beichman, Roosevelt's Failure at Yalta, *Humanitas*, Vol. xvi, No. 1, 2003, pp100–101.

＊8　同右。

＊9　How America First Learned of the Holocaust, the Algemeiner, June 11, 2012.
http://www.algemeiner.com/2012/06/11/how-america-first-learned-of-the-holocaust/#

＊10　Mark Weber, How Hitler Tackled Unemployment and Revised Germany's Economy, *Institute for Historical Review*, November 2011 & February 2012.
http://www.ihr.org/other/economyhitler2011.html

＊11　同右。

＊12　スティーブン・キンザー著、渡辺惣樹訳『ダレス兄弟』草思社、二〇一五年。

＊13　Giles Macdonogh, *1938: Hitler's Gamble*, Constable, 2009.

＊14　同右、p. xxi.

第三章　『裏切られた自由』を読み解く

その二：チェンバレンの「世紀の過ち」とルーズベルトの干渉

第二章で、フーバーやイギリス保守派のナチスヒトラー観と共産主義に対する警戒感を読み解いた。フーバーあるいはチェンバレンが、二人の怪物（ヒトラーとスターリン）は必ず戦うことになると考えていたことがわかる。この考えは当時多くの知識人に共有されていた。戦後の歴史書はその事実を隠している。

さて本章では、ヒトラーが「ギャンブルの年」と考えていた一九三八年、つまりフーバーとヒトラーの会談以降に起きた事件と、一九三九年九月のドイツのポーランド侵攻までを読み解くことにする。同時に、ルーズベルト外交の本質を示す「隔離演説」を考察する。『裏切られた自由』では、第1部第3編第16章から第4編第22章に相当する部分である。

ルーズベルトの尻尾が見えた「隔離演説」

フーバーはここで、一九三八年のヨーロッパ旅行を終えてから大戦の勃発した翌年までの事件を語るのだが、その前にルーズベルトが行なった隔離演説を分析している（第16章）。フーバーは、この演説こそが、ルーズベルトがその正体（尻尾）を見せた事件だと考えている。

一九三七年十月五日、ルーズベルトはシカゴで講演した。シカゴ市制百周年式典と併せて行なわれるレイクショア道路（湖岸道路）の完成式典に招待されたのである。完成した道路は近郊の地方空港とのアクセス改良のために整備されたもので、ニューディール政策で設立した公共事業局（ＰＷＡ）の仕事であった。

ＦＤＲは演説で国内の経済問題を話題にしなかった。具体的な名指しは避けたものの、日独伊三国によって世界の平和が乱されている、これを是正するためにはアメリカは積極的に国際政治に関与しなくてはならないと訴えた。ＦＤＲはこの三カ国を伝染病患者に喩（たと）えた。感染症患者を隔離しなくてはならないように、日独伊三国は国際社会から隔離して監視すべきだと主張した（これが「隔離演説」と呼ばれる所以である）。

式典はエドワード・Ｊ・ケリー市長のスピーチで始まった。市長の言葉は、式典の趣旨に沿って、道路の整備とシカゴ市の発展を喜ぶものであった。ところがこれに続いたルーズベルトの演説は冒頭部分の二分半でその点に触れただけで、たちまち世界情勢に話題を移した。[*1]

〈およそ十五年前、六十カ国以上の国が国家の目標あるいは方針を実現する手段として軍事力を使用しないと決めた。国際和平（の気運）が最高潮に達した。そしてケロッグ・ブリアン条約〔注：一九二八年、パリで採択された不戦条約。仏ブリアン外相、米ケロッグ国務長官の名前から命名〕が結ばれた。（中略）しかし、現在の国際社会は恐怖に満ち、無法状態と化した。この状態は数年前に始まった。〉

〈宣戦布告もなく、いかなる事前通告もなく、いかなる正当な理由もなく、女や子供を含む民間人が空からの爆撃で無慈悲にも殺された。また戦争状態にないにもかかわらず多くの船舶が潜水艦に攻撃され、そして撃沈されたのである。（中略）（無法国家は）自国の自由を叫びながら他国の自由を否定するのである。〉

ドイツという国名を挙げてはいないが、ここでいう空爆がゲルニカ爆撃を意味していることは明白だった。第一次大戦中に潜水艦攻撃を仕掛けたのもドイツであったから、ルーズベルトがヒトラー政権を非難していることは誰にでもわかった。さらに、世界にはケロッグ・ブリアン条約、九カ国条約を守らない無法国家が存在し、「世界に国際条約無視の病が拡がった」と嘆いてみせた。その病に侵された国が日独伊三国を指していることは誰にもわかった。ドイツとイタリアのスペイン内戦介入、イタリアのエチオピア侵攻、日本の満州国建国と盧溝橋事件から拡大した日中間の戦い。これらは病に侵された国の狂った行動が原因である。この病は伝染病であるから患者は隔離しなくてはならない。それがルーズベルトの主張だった。

〈ルーズベルトはいくつかの虐殺に言及した。民間人への空爆、潜水艦による攻撃、内戦への干渉。これらはスペイン内戦へ介入する独伊両国への非難であり、また日本のアジアでの侵略行為に対する批判だった。[*2]〉

日独伊三国を、わかる者にはわかる言葉で存分にこき下ろしたルーズベルトは、演説を次のように締めくくった。

〈中でも重要なのは、平和を望む国々は、条約を破ったり他国の権利を踏みにじる国に対して、そうした行為を止めさせるという意思を行動で示さなくてはならない。和平維持のための積極的な努力が必要である。アメリカは戦争を嫌い、和平を希求する。我が国は積極的に和平を求めていく。〉

この演説はシカゴ市制百周年を祝う式典で行なわれたと先に書いた。演説の内容がいかに式典の趣旨から乖離しているかは一目瞭然である。ルーズベルトはこの演説で、日独伊三国をアメリカの敵だと公言したのである。フーバーは、演説の分析には同意したものの、重大な欠陥にすぐに気づいた。FDRはスターリンのソビエトを全く非難していなかったのである。FDRの言葉は慎重だったが、アメリカは不干渉主義外交から干渉主義的な外交に舵を切ることを宣言した。スターリンには全く触れず、日独伊三国だけを牽制すべきであると国民に訴えた。しかもこの三国は気の触れた病人だと言って侮蔑の表現を使った。

ルーズベルトは、第一次世界大戦後のベルサイユ体制に対する国民の幻滅を知っていた。国民はヨーロッパ問題へのアメリカの再びの干渉を嫌っていた。したがってFDRは、表現に神経を使いながら国民の反応を探った。つまりアドバルーンを上げてみたのである。ところが演説の評判は散々だった。そのことは翌日に行なわれた記者会見での記者の辛辣な質問から明らかだった。フーバーはそのやりとりを記録している（第1部第3編第16章）。

〈記者「昨日のスピーチには何か倫理観に依拠した憤りのようなものを感じたが、

大統領の（不干渉の）姿勢に変化があったのでしょうか」
大統領「何も変わっていない。スピーチのとおりである」〉

これに続いて、大統領は、演説の内容と中立法との整合性を問われた。経済制裁のようなことを意図しているのかと質された。

〈大統領「いや、そのようなことは考えていない。『制裁』はあまり使いたくない言葉である。私はそのような言葉は使わない」
記者「和平を希求する国が話し合いを持つ（持たせる）というようなことを考えているのでしょうか」
大統領「そうしたことは考えていない。会談をしても何も解決しない」
記者「外国のメディアは（昨日のスピーチは）実質のない態度表明に過ぎないと論評しているようですが」
大統領「それは『ロンドン・タイムズ』のことかね」
記者「もし何か具体的な計画があるとすれば、中立法を修正せざるを得ないのではないですか」
大統領「いや、それは必要ないだろう」〉

FDRは、ベルサイユ体制の不正義に全くと言っていいほど無関心だった。自身がウィルソンを敬愛していたことがその理由なのかもしれないが、彼の目には、ベルサイユ体制での国境の線引きを乱す国はすべて悪党に映っていた。ベルサイユ体制の固定化を正しいとするFDRは、民族や宗教を考慮しない国境の線引きがもたらす民族運動や、共産主義革命を他国に伝播させるソビエトの工作には全く関心がない。そのことはこの「隔離演説」からよく理解できる。

FDRよりもアメリカ国民や報道関係者の方が、ベルサイユ体制の座りの悪さに気づいていたと言えよう。ともかくこの演説の評判は悪かった。『裏切られた自由』には掲載されていないが、多くの具体的な反発の声が上がっていたのである。『ウォールストリート・ジャーナル』は「外国への手出しをやめろ、アメリカは平和を欲する」というコメントを発表し、『シカゴ・トリビューン』[*3]は、大統領がシカゴを、「戦争恐怖の世界的ハリケーンの中心」に変えてしまったと書いた。ハミルトン・フィッシュ下院議員は、「大統領は、戦争を避けることができないと言うことにより国中に戦争ヒステリーを巻き起こしたとラジオ演説」[*4]した。

FDRはあまりの反発の激しさに怖れをなした。以後、干渉主義的な発言を公の場では控えている。FDRが考え方を修正したのではない。国民の考えを自らの思う方向に変化させる、それまでは国民に気づかれない形で干渉主義的な外交を進める、と決めたに過ぎなかった。

FDRがなぜ日独伊三国を悪党と決めつけ、干渉主義的な外交をすると決めたのかについては、合理的に推察するしかないが、自身の進めたニューディール政策の失敗に焦っていて、第一次世界大戦時のような、戦争経済の好況に期待していたのではないかとの疑いは捨てきれない。「隔離演説」を行なった時期の経済指標は経済の悪化を如実に示していた。一九三七年八月から十二月には鉱工業指数は二七パーセント低下し、株価は三七パーセントも下げていた。また十一月、十二月だけで八十五万人が新たに失業した。[*5]

この時期にFDRが経済の悪化をひどく気にしていたことは、ウィリアム・ドッド駐独大使がその日記に、「(大統領と話したが)戦争の危機と国内の景気の悪さをひどく気にしていた」[*6](一九三七年八月十一日)と書いていることからも確かだった。労働力不足まで惹起していたナチスドイツの当時の好況については先に書いた。アメリカ経済はドイツとは対照的に大きな陰りを見せていた。これが、FDRは経済回復のために干渉的な外交に向かい、戦争経済を望んでいたのではないかと疑わせる理由である。

〈「ニューディール政策はアメリカを不況から脱出させることに失敗したことは明らかである」（歴史家ジム・パウエル〈ケイトー研究所〉）。この政策は初めから失敗することがわかっていた。税率が上げられ、（民間から）吸い上げられた資金があたふたと計画された政府のプロジェクトに「ぶちまけられた」。そうしたプロジェクトはたちまち政治の材料にされただけで、当初の狙いは実現できなかった。結果的に（ニューディール政策によって）アメリカは一層深刻な不況に陥ったのである。[*7]〉

少なくとも、ニューディール政策は失敗であったことはアメリカ歴史学の常識になりつつある。

行動を起こしたヒトラー（1）ズデーテンラント併合とミュンヘン協定

先に一九三八年はヒトラーの「ギャンブルの年」であったと書いた。ヒトラーが、真の意味でのベルサイユ体制打破の最初の行動を起こしたのは、フーバーとの会談を終えてすぐのことだった。三月十二日にオーストリアに侵攻し、たちまち併合に成功した。フーバーはオーストリア併合については『裏切られた自由』の中ではほとんど語っていない。おそらくその理由は、彼自身もオーストリア併合は自然な成り行きであると理解していたからだろう。なぜなら、オーストリア国民が全く抵抗を示さなかったばかりか、オーストリア生まれのヒトラーを里帰りの凱旋のごとく迎え、併合そのものを喜んだからである。ヒトラーは三月十五日朝、ウィーン市民の前で演説した。広場にはヒトラーを一目見ようとする二十五万の市民が集まった。

オーストリア併合では全く血が流れなかった。そのため「花の戦争（War of Flowers）」と呼ばれている。オーストリアに入ったヒトラーに浴びせられたのは、罵声でも銃弾でもなく花束だった。先に書いたように、一九三八年のヒトラーは、ドイツ経済を見事に復活させ、ドイツ国民のプライドを回復させた偉大な指導者だった。オーストリア国民が併合による経済的恩恵を期待したとしても不思議ではない。実際、オーストリアの経済は目覚ましく回復した。

〈一九三八年三月にドイツに併合されたオーストリアの経済発展は目覚ましかった。官僚たちは社会の沈滞を一掃し、瀕死の経済を再び活性化させた。投資、工業生産、住宅建設が活発化し、消費も拡大した。観光旅行を楽しむ者が増え、生活水準はたちまちに上がった。一九三八年六月から十二月の間に工業労働者の賃金は九パーセント上昇した。国家社会主義政権の下で失業者も激減した。アメリカの歴史家バントー・バクリーは、近年の歴史上でも驚くべき経済回復を見せたと書いている。一九三七年の失業率は二一・七パーセントあったが、一九三九年にはわずか三・二パー

セントにまで下がったのである。[*8]〉（歴史家マーク・ウェバー）

オーストリア併合に続いたのはチェコスロバキアのズデーテンラント併合だった。フーバーはこの事件については、『裏切られた自由』第18章（第1部第4編）で具体的に記している。ズデーテンラント併合と、その後に続くチェコスロバキア解体に対するヨーロッパ諸国の反応を正確に理解するには、チェコスロバキアという国の成り立ちを知っておく必要がある。

チェコスロバキアは第一次世界大戦前には存在しなかった。オーストリア・ハンガリー帝国の領土だった。第一次世界大戦では、チェコ人（と少数のスロバク人）兵士は、対ロシア戦線で積極的にロシアに投降し、捕虜になった。彼らはむしろロシア側に立ってオーストリアと戦い、チェコ族とスロバク族の国家建設を目指した。

彼らはドイツが降伏すると、チェコ族、スロバク族の住むボヘミア・モラヴィア地方に続々と帰還してきた。そしてベルサイユ会議開催中、軍事的空白ができていた同地域、およびその周辺を可能なかぎり武力で制圧していった。その強欲なさまは連合国首脳が眉をひそめたほどだった。

一九一九年二月五日、ベルサイユでは連合国最高会議（The Supreme Council）が開かれ、チェコスロバキアの要求を聞いた。代表として現われたエドヴァルド・ベネシ

故郷ブラウナウ（オーストリア・リンツ近郊）で、ナチスのシンボル、ハーケンクロイツを掲げてヒトラーを歓迎する市民たち（1938年3月14日）。1889年4月20日、当時オーストリア・ハンガリー帝国が支配していたこの地で、ヒトラーはハプスブルク帝国の税関吏の息子として生まれた。

ュ（外務大臣）は、連合国首脳が驚くほどの広大な領土を要求した。西部ボヘミアではドイツ系住民の多いズデーテンラントを、北部モラヴィアではポーランドの炭鉱地帯を、南部ハンガリー方面ではダニューブ（ドナウ）川流域を要求した。東部はウクライナ南部にあたる地域でウクライナ語圏であったが、住民がスロバク系に近いという強引な理屈をつけて、これを要求した。[*9] チェコスロバキアの要求に不安を覚えたのはロイド・ジョージ英国首相だった。ベネシュはその不安解消のため、抱え込むことになる少数民族への配慮を約束した。民族独自の教育の容認、信教の自由、人口に比例した議員数などである。第二のスイスとなり、民主主義の構築の礎になるとまで約束した。

連合国はナイーブにもこれを信じた。当時、それを疑う積極的な理由はなかったからである。

こうして人工国家チェコスロバキアが成立した。世界第十位の工業力を持つ大国として、その姿を現わした。もちろんそれはオーストリア・ハンガリー帝国の持っていた工業力の七割から八割を奪取したことで可能になった[*10]。人口およそ千四百万。三分の二はチェコ、スロバク両民族系であったが、三百万人のドイツ系、七十万人のハンガリー系（マジャール系）、さらに少数のポーランド系を抱え込んでいた。

チェコスロバキアの民族分布[*11]
チェコ系　六百五十万人
ドイツ系　三百二十五万人
スロバク系　三百万人
ハンガリー（マジャール）系　七十万人
ウクライナ系　五十万人
ポーランド系　六万人

三百万のドイツ系住民のほとんどが西部ズデーテンラントに住んでいた。次頁の地図のドイツ本土に突き刺さった位置にあるのがズデーテンラントである。チェコスロバキアが広大な領土を認めさせるために少数民族への配慮の約束をしたと先に書いた。しかしその約束は守られていない。チェコ系民族に有利な政策を推進した。教育もチェコ語を強制し、少数民族の自治も認めていない。

ドイツ経済の発展、そしてオーストリア併合を見たズデーテンラントのドイツ系住民が、ドイツ帰属を求める動きを始めたのは自然の成り行きだった。その動きにドイツは応えたいと考えていた。フーバーとナチスドイツのナンバー・ツーのゲーリング空軍司令官との会談でそれがわかる。そのときの模様は次のように書かれている(「付属関連文書」史料11)。

〈ゲーリングは、あるボタンを押した。すると、壁にかかったヨーロッパの地図が照らし出された。各国が異なる色で示されていた。彼は、チェコスロバキアを指すと、「この国の形をどう思うか」と聞いてきた。私には適当な答えが見つからなかった。するとゲーリングは、「これは矢じりだ。我がドイツに突き刺さっている」と言った。〉

ヒトラーが、ズデーテンラントのナチス党指導者コンラッド・ヘンラインに蜂起を促したのは、一九三八年九月十二日から十三日にかけてのことである。これに対してチェコスロバキア政府は戒厳令発動で対抗した。大陸での再びの戦いを回避したい英国チェンバレン首相は、ベルヒテスガーデンでヒトラーと会談した（九月十五日）。チェンバレンは、ドイツ系住民が五割を超える地域については、ドイツ併合を認める、その方向でフランスを納得させると約束した。フランスはチェコスロバキアと相互援助条約を結んでいるだけに、軍事行動を自制させる必要があった。

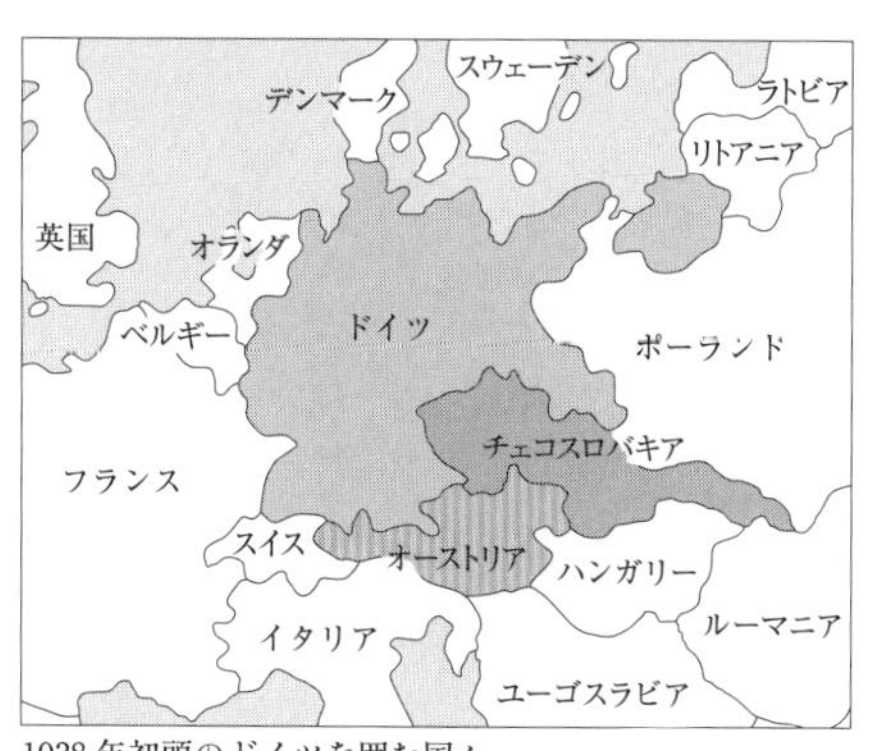

1938年初頭のドイツを囲む国々

チェンバレンがヒトラーと再交渉に臨んだのは、一週間後の九月二十二日のことである。場所はボン近郊のバド・ゴーデスベルクだった。このときチェンバレンは、十五日の約束どおりの条件で関係国を納得させたとヒトラーに伝えた。しかしヒトラーは勝負に出た。ズデーテンラント全域の併合を要求したのである。ヒトラーはその新たな要求を文書にした（ゴーデスベルク覚書）。回答期限は九月二十八日だった。対チェコスロバキア戦争の最後通牒とも言えた。これでヨーロッパ情勢は一気に緊張した。ドイツもチェコスロバキアも開戦に備え、軍の動員を開始した。フランスも部分動員をかけ、イギリスも海軍に出動命令を出した。

回答期限の二十八日、チェンバレンは議会で戦いの覚悟を述べる演説に臨んだ。第二次世界大戦にいたる軍事紛争の始まりを、誰もが感じ、恐怖した。ヒトラーから、二十四時間の猶予を決めたとの連絡が入ったのはそのときのことである。この問題をチェンバレン英首相、ダラディエ仏首相、ムッソリーニ伊首相の四者で協議したいと伝えてきたのである。三十日、ミュンヘンで四者会談が開催された。この会談でズデーテンラントのドイツ併合が決まった。当事者のチェコスロバキアは蚊帳（かや）の外であった。これが世界史の教科書で「ミュンヘン協定」と呼ばれているものである。

ミュンヘン協定を、戦後に書かれた釈明史観の歴史書は、チェンバレンの過度な対独宥和外交の象徴として記述する。しかし、当時のヨーロッパ各国は戦争が回避できたことを素直に喜んだ。そのことは、帰国したチェンバレン首相をロンドン市民が熱狂的に歓迎したことからもわかる。国王ジョージ六世も喜んだ。帰国したチェンバレンをすぐにバッキンガム宮殿に招いている。チェンバレンの降り立った空港（ヘストン空港）から宮殿までの道のりはわずか十四キロメートルだったが、市民の歓迎で到着までに一時間半もかかったほどだった。[*12]

現在の史書とは違い、同時代人はミュンヘン協定を歓迎した。フーバーもミュンヘン協定を評価している（史料18、ミュンヘン協定の解釈）。

〈私はミュンヘン協定（一九三八年九月）を否定しようとは思わない。この協定でズデーテンラントはドイツ帝国に併合されたが、（ドイツ民族の多いこの土地をドイツから分離したのは）ベルサイユ条約の悪い置き土産であって、こうした事態になることは避けられないことだった。これによって、暴れ馬のようにロシア侵略を狙っていたヒトラーを閉じ込めていた門が開いた。二人の独裁者の不可避的戦いの道が開けた。〉

行動を起こしたヒトラー　(2) チェコスロバキアの自壊

ミュンヘン協定を同時代人が、そしてフーバーが評価していることは、歴史修正主義の歴史観を理解するうえで重要である。前節で書いたように、同時代人は、チェコスロバキアの政治を必ずしも評価していなかった。あえて多民族国家となることを選び、その領土を可能なかぎり拡大したやり方に、連合国首脳は眉を顰（しか）めた。抱え込んだ少数民族への配慮を約したが、それも守っていない。そのうえ、共産主義国家ソビエトと相互援助条約（一九三五年五月）まで締結していた。

知識人の多くが、将来的にはヒトラー・ナチスとスターリン・ソビエトの死闘が起きることを予想していた。地図上からも明らかなように、チェコスロバキアの地政学的位置は、ドイツのソビエト・ウクライナ方面侵攻の通り道にあたる。したがって、ソビエトの友好国であるチェコスロバキア方面への進出は、対ソ戦の前哨戦の意味もあった。前節の最後に挙げたフーバーの言葉は、当時の指導者の多くがその意味を理解していたことを示している。

釈明史観に基づく歴史書がズデーテンラント併合に続いて挙げるのは、チェコ解体と独立宣言したスロバキア国の傀儡(かいらい)化である。ヒトラーは、ミュンヘン協定調印時にこれ以上の武力行使による領土拡大を望まないとしていた。したがって、チェコ解体は、ヒトラーの世界制覇の野望実現に向けての協定違反だったと書く。しかし、実態は、チェコスロバキアの自壊であった。

先にチェコスロバキアの民族構成を示した。ズデーテンラント併合によってドイツ民族は「母国」ドイツに吸収された。それを見た他の少数民族もたちまち行動を起こした。チェコスロバキアは、混乱を防ぐために、少数民族の多い地域の自治を認めた(一九三八年末)。

新大統領には国際法学者のエミール・ハーハが就いた(一九三八年十一月三十日)。ハーハには自壊を続ける人工国家チェコスロバキアを救うことはできなかった。ヒトラーは裏で自壊の動きを操り、少数民族の離反を煽っていた。しかし軍事力は使用していない。分裂する国家を眼前にしたハーハ大統領は、チェコ系が多数派のボヘミア、モラヴィアの安全保障を考えなくてはならなかった。三月十四日、ハーハ大統領は鉄道でベルリンに向かった。長い交渉が翌日未明まで続いた。午前四時少し前、ハーハはついに自国をドイツの保護に委ねることを決めた。

このチェコ解体については、フーバーはヒトラーを批判していたと編者のナッシュ氏は書いている（「編者序文」）。

〈一九三九年三月十五日、ナチスドイツ軍はチェコスロバキアに侵入した。突然の侵攻に驚いたチェコスロバキアは抵抗もできなかった。フーバーはこの行為は破廉恥だと憤った。「チェコスロバキア国民はこの非道に対して必ず立ち上がるに違いない」と述べ、ドイツを批判した。〉

しかしフーバーは、事件当初の感覚を後に訂正していることが『裏切られた自由』の記述でわかる。第19章（ヒトラーのポーランド侵攻）の冒頭で次のように書いているからである。

〈ヒトラーは一人の戦死者も出すことなく領土を大きく拡大した。ラインラント（人口一四〇〇万）を取り返し、オーストリア（人口七〇〇万）を併合した。非難されたが、現実の抵抗はなかった。これにチェコスロバキア（人口一五〇〇万）が加わった。一連の併合によってドイツ帝国は三六〇〇万の人口増となった。もちろんこれに伴って広大な領土、資源、生産設備、食糧供給力、さらに軍事増強の潜在的な能力を獲得した。また（将来の対ソ戦争のための）チェコスロバキアからの侵攻ルートも作り上げたことになる。〉

ドイツ軍はプラハに入ったが、少なくとも形式上は軍事侵攻ではない。ハーハ大統領との合意によるものだった。さらに、フーバーが考える独ソ戦では、ドイツはソビエト侵攻の「ハイウェイ」となるチェコスロバキアを通らざるを得ないことは自明である。ドイツがズデーテンラント併合だけで動きを止めることは考えられない。ましてやチェコスロバキアはソビエトの同盟国的な立場にあった。ドイツのズデーテンラント併合からチェコスロバキア解体までの動きは、ソビエトに向かうハイウェイづくりと考えるべきである。右の記述からフーバーはそのことを十分に理解していることがわかる。

チェンバレンの世紀の愚策、ポーランドの独立保障

フーバーは『裏切られた自由』第19章（第1部第4編）でヒトラーのポーランド侵攻を深く考察している。

ヒトラー・ハリファックス会談（一九三七年十一月十九日）で、ハリファックス卿は、ベルサイユ条約によるオーストリア、チェコスロバキアおよびダンツィヒに関わる線引きの変更については反対しない、ただしそれを平和的な手段で行なうことと述べたと書いた（第二章、七六～七七頁）。ヒトラーは、明らかに、ベルサイユ体制の歪みの矯正をハリファックス卿の言葉に沿って進めていた。フーバーも書いているように、オーストリア、チェコスロバキアに関わる国境の線引き変更まで、一人の戦死者も出していない。ヒトラーの頭の中では、すべてが英国外交との阿吽(あうん)の呼吸どおり、つまり「平和的手段」による枠組み変更のプロセスであった。もちろん「平和的手段」についての定義に議論の余地はあろうが、物理的な戦いがないという意味においては「平和的」であった。

当時のヨーロッパ諸国の指導者にとって、ヒトラーの次なる狙いはダンツィヒとポーランド回廊問題の解決になることはわかりきっていた。したがって、チェコ解体がどれほどチェンバレン首相の気分を害したとしても、ヒトラーとポーランドの二国間交渉を注意深く見守るのが英国の外交であろうと思われていた。しかし一九三九年三

月三十一日、チェンバレン首相は次のような唐突な発言をした（第19章）。

〈私はいま議会に次のように報告しなくてはなりません。ポーランドの独立を脅かす行動があり、ポーランド政府が抵抗せざるを得ないと決めた時に、我がイギリス政府には、ポーランド政府を全面的に支援する義務があります。ポーランド政府にはそのように伝えてあります。フランス政府も同様の立場であることを付言しておきます。同政府は、私がこの場でこのように発言することを承認しています。〉

これは英国のポーランド独立保障宣言だった。この発言には誰もが驚いた。フーバーもその一人だった。先にフーバーがチェンバレン首相との会談（一九三八年三月二十二日）の備忘録を残していたことを書いた。その中で、ヒトラーは東に向かい、スターリンとの衝突になるというフーバーの考えにチェンバレンが同意していたことが記されていた。ところが、右記のチェンバレン首相の議会発言はその考えを百八十度変えたものだった。

チェンバレンの演説の愚かさは、常識がある者にはすぐにわかった。演説を聞いていた議員の一人J・G・ブースビーは、「我が国最悪の狂気の沙汰だ」と憤った。[*13]ロイド・ジョージは、あまりの馬鹿らしさに笑い出すほどで、「もし我が軍の将軍たちがこれを承認していたとすれば、彼らはすべて気が違っている」とまで述べた。[*14] 要するにチェンバレンの議会演説は、イギリスが戦争するかしないかの判断をポーランドに預けてしまったことを意味したのである。[*15]

イギリスに続いてフランスも同様の独立保障を行なった。これによってポーランドは強気になった。フーバーの驚きも尋常ではなかった。その思いは次のように表現されている（「編者序文」）。

〈ヒトラーが東進したければさせるというのがこれまでの考え方だったはずではないか。現実的に英仏両国がヒトラーのポーランド侵攻を止められるはずがない。これではロシアに向かうスチームローラー（ドイツ軍）の前に、潰してくださいと自ら身を投げるようなものではないか。〉

この視点はフーバーの歴史観（歴史修正主義）の核である。戦後の釈明史観の歴史書は、この世紀の愚策を意図的に書かない。そして同時代人の誰もが歓喜したミュンヘン協定をチェンバレンの愚策（過度の対ドイツ宥和政策）として描く。チェンバレンのポーランド独立保障宣言という世紀の愚策以前に愚策があったことにしたいからである。そうすれば「真の意味での愚策」から目を逸らすことができるからである。

フーバーは、なぜチェンバレンがこれほどの方針転換をしたのか理解できなかった。その理由を探ろうとした。フーバーは次のように推察した（同前）。

〈一、チェンバレンは、自分が（過度な）宥和主義者ではないとアピールしたかった。
二、英仏両国によるドイツに対する虚勢を張ったブラフ（虚仮脅し）だった。
三、アメリカが英仏を支援するという期待があった。〉

この三点を挙げたのは友人宛ての手紙（一九三九年五月）の中だった。フーバーが特に注意を払ったのは、第三の点であった。当時の軍事力から言えば、英仏の軍事力ではドイツに対抗できないことは誰にでもわかった。右記の第一、第二の理由だけでは、ドイツとの戦いをポーランドの政治家の判断に預けてしまうほどの愚かな決断は、さすがにできないと考えられた。最も可能性が高いのは、アメリカからの何らかの干渉ではなかったかとフーバーは疑った。

実際にルーズベルトがケネディ駐英大使を通じてチェンバレンに圧力をかけたことが確かめられた。それは戦いが始まった後（一九三九年九月一日以降）のことである。ケネディ大使は、一九四〇年十月には大使を辞め帰国した。ケネディはフーバーの住むニューヨークのアストリア・タワーをよく訪れ、意見交換する仲になった。フーバーはケネディ前大使に当時のことを聞いている（第19章）。

〈ジョセフ・P・ケネディは私に、「（本省から）チェンバレンの背中を押せ」との指示があったことを明らかにしてくれた。〉

フーバーはケネディ大使の言葉を、海軍次官であったジェイムズ・フォレスタルの日記を使って補強している（同前）。

ルーズベルトが、チェンバレン首相の背中を押してポーランド独立保障宣言を出させることに成功すると、今度はウィリアム・ブリット駐仏大使が、ルーズベルトの意を受けて、ポーランドに対独強硬策を取らせた。そうすることで、ダンツィヒ・ポーランド回廊問題を、ヒトラーとの外交交渉によって解決する道を閉ざしたのである。ブリット駐仏大使の工作については、後にポーランドに侵攻したドイツが、これを裏付けるポーランド政府の文書を押収し、公開した。しかし、FDR政権はこれを偽書だとして否定した。この点についてハミルトン・フィッシュ下院議員は次のように書いている[*16]（『ルーズベルトの開戦責任』）。

〈ポーランドの駐仏大使であったウカシェヴィチ（Łukasiewicz）の（本省への）報告書もドイツが押収している。その中でウカシェヴィチ大使は、イギリスがポーランドに外交圧力をかけ対独戦争の危険を冒させているとブリット駐仏大使に訴えていた。ウカシェヴィチ大使は母国ポーランドの対独防衛が不十分なことを知っていた。ブリット大使が、ロンドンのジョセフ・ケネディ米駐英大使に対して、イギリス政府を通じて対ポーランド外交に圧力をかけるよう要請したことも書面には記されていた。

ＦＤＲ政権はドイツが公表したポーランド外交文書は偽書だと主張した。しかし私（フィッシュ）は本物であると信じている。文書に関係したポーランド大使は存命である。偽の文書を発表しても、すぐにばれるのである。〉

フーバーは、チェンバレンに「世紀の愚策（ポーランド独立保障宣言）」をとらせたのはルーズベルトだとして次のように結論づけている（第19章）。

〈ルーズベルト氏はポーランドに対しても、ダンツィヒ問題ではドイツとの交渉を拒否し強硬姿勢を取るよう圧力をかけた。ポーランドの頑なな姿勢は、ルーズベルト政権の意向の反映であった。〉

バーゲニング・パワーを得たスターリンと外交的袋小路に入ったチェンバレン

ドイツも、ケネディ大使が英国に、対独強硬外交に切り替えるよう圧力をかけていることを見抜いていた。ロンドンのドイツ大使館は、チェンバレンのポーランド独立保障宣言の十日前に、本省に次のように報告（三月二十日付）している（第3部第1編A章）。

〈ケネディは当地の米国大使であるが、相当な指導力を発揮している。彼は、英国のすべての外交課題に関与し、アメリカは戦争以外のことなら何でもすると約束し、英国側に対独強硬策を取るようけしかけている。〉

チェンバレンのポーランド独立保障宣言によってヨーロッパ各国のパワーバランスは劇的に転換した。英国はこの宣言まで、暗黙の了解のうちにドイツ東進の脇役を務めていた。その結果がオーストリア、ズデーテンラント、チェコスロバキア解体とスロバキアの傀儡化だった。しかしポーランド独立保障宣言が何もかも変えてしまった。フーバーはドイツ、ソビエト、日本の外交に与えた衝撃を次のように説明している（第1部第4編第19章）。

〈ヨーロッパのパワー・バランスはヒトラーの側に傾いていた。ドイツの拡張と英仏の黙認の結果だった。しかし、英仏の独立保障でパワーシフトが起きた。ヒトラーがポーランドに対する要求を貫徹すれば、英仏との、つまり西部戦線での戦いになる。スターリンは、ヒトラーのロシア嫌いをわかっているだけに、そうなればスターリンは英仏側について参戦する可能性がある。ヒトラーは、二正面での戦いを避けるためには、スターリンとの間で何らかの協定を結び、東部戦線での戦いを回避する必要が出てきた。〉

〈ソビエトが、自らの目的を遂行するために、これほど有利な立場に立ったことは歴史上なかった。ピョートル大帝の治世以来、広大な土地を抱えながらも、バルト海方面への拡大を望んできた。第一次世界大戦の結果、バルト海への出口は、わずかにレニングラード〔訳注：現サンクトペテルブルク〕を残すのみとなった。フィンランド湾の港は夏季しか使えなかった。西欧諸国とドイツとの紛争は、バルト海方面の領土回復の絶好のチャンスだった。

さらに言えば、ドイツが西欧の民主国と戦うことになれば、反コミンテルンの協定は崩壊し、ドイツおよび日本からの（ソビエト）攻撃の可能性は低下すると見られた。〉

〈ロシアにとって日本からの攻撃はきわめて現実的なシナリオだった。ロシアのウラジオストクに築いた軍事基地、特に航空部隊は日本にとって脅威であった。日本の家屋は紙と木で出来ているだけに空爆には神経質であった。日本は中国への侵攻に伴いシベリアに一〇〇〇マイルに及ぶ前線を築いていて、両国の衝突は頻繁に起きていた。シベリア侵攻は日本にとって魅力ある選択肢だったが、それをすれば、アメリカが中国、ロシアの側に立って参戦する可能性を見ていた。アメリカはただでさえ中国に同情的であった。

簡単に言ってしまえば、右の侵略的諸国家の中で、共産主義者だけが有利な立場を得たのである。彼らは民主主義国家側にも、ヒトラーの側にも立てるポジションを得た。戦うか戦わないかも選択できた。彼らは共産主義イデオロギーの拡散にきわめて有利な立場となった。したがってヨーロッパのパワー・バランスは一気にスターリン有利に傾いた。〉（傍点渡辺）

これほど正確な分析はなかろう。チェンバレンのポーランド独立保障宣言はイギリス議会における短い発言であったが、実際は、ヨーロッパ各国に働く複雑な外交ベクトルを一気に変えてしまう爆弾発言だったのである。

フーバーの分析にあるように、ロシアも第一次世界大戦期には膨大な領土を失っていた。旧領土の回復というドイツと同様の強い潜在的欲望があった。バルト三国もポーランド東部も旧ロシア領だった。このような欲望を持つスターリンに甘い声をかけたのは英仏であったが、両国のソビエトとの交渉が決裂するや否や、スターリンと独ソ不可侵条約を結んだのがヒトラーだった。フーバーはこれについて第21章「スターリンの協力を求める連合国とヒトラー」で詳述している。

スターリンの名代として英仏との交渉にあたったヴャチェスラフ・モロトフは、英仏との提携と引き換えに旧ロシア領の回復を要求していた。その交渉の内幕はチェンバレンの議会説明に垣間見えた。フーバーは次のように書いている（第1部第4編第21章）。

〈連合国に対するスターリンの要求、つまり提携の条件は、チェンバレン首相の議会での説明（五月十日・十九日、六月七日）で徐々に明らかになっていった。スターリンはイギリスに、ロシアの旧領土を含むフィンランド、エストニア、ラトヴィア、リトアニア、東プロシア、ベッサラビア、ブコビナ〔訳注：現ウクライナおよびルーマニアをまたぐ地域〕の併合を認めるよう迫った。バルト諸国は交渉の成り行きを不安げに見守った。もちろん民衆による抗議活動も発生した。〉

モロトフが要求した領土は、形式的には第一次世界大戦期にロシアがドイツに譲渡した土地だった（ブレスト・リトフスク条約：一九一八年三月）。しかしロシアの視点からは、あくまでベルサイユ条約で失った土地なのである。大戦後に独立を果たした国々が、不安げに英仏ソの交渉を見つめていたのは当然だった。英仏両国がこのような国々の思いを裏切ってソビエトロシアの要求を容認できるはずもなかった。一九三九年八月十日に始まったモスクワでの交渉は、今後の日程のめども立たないまま打ち切られた（八月二十一日）。

ヒトラーはスターリンに対して密かに誘いの親書を送り、提携を促した。ヒトラーの親書は八月二十日にスターリンの手元に届いていた。独ソ両国はこの前日（十九日）、リッベントロップ外相とソビエトのモロトフ外相の間で経済協力協定を結んでいた。ソビエトは英仏とドイツ包囲網を形成する交渉をしながら、他方でドイツとの経済協力協定交渉を進めていたのである。ヨーロッパ外交の真骨頂である。

ヒトラーは、ロシアでの経済協力協定交渉から帰ったばかりのリッベントロップ外相を再びモスクワに遣った（八月二十三日）。そしてその日の深夜、独ソ不可侵条約が締結されたのである。条約は、表面上は通常の不可侵条約であった。しかし、それとは別に秘密協定があり、フィンランドとバルト諸国（エストニア、ラトヴィア、リトアニア）はソビエトの勢力範囲であることを認めていた。ポーランドを独ソで二分割することも決められていた。さらに、ベッサラビアは一九一八年にソビエトから奪われた領土だと認め、ドイツは同地に利権を主張しないことも決まっていた。

犬猿の仲であった独ソ両国の唯一の共通点。それが第一次世界大戦期に失った領土回復を希求する強い思いであった。その思いだけが両国に偽りの契りを結ばせた。英仏両国はベルサイユ体制の破綻を意味するロシアの領土回復要求を認めるわけにはいかない。ロシアとの交渉決裂は自然の成り行きだった。決裂と同時にヒトラーとスターリンが握手した。チェンバレンのポーランド独立保障宣言がヨーロッパ外交にもたらした当然の帰結だった。

ここで釈明史観の一般歴史書が書かない事実をフーバーは綴っている。釈明史観の史書では、独ソ不可侵条約締結後、たちまちドイツのポーランド侵攻（九月一日）が始まったと書く。しかし実際はより複雑な交渉が続いていた。ドイツは独ソ不可侵条約締結後も、ポーランドとダンツィヒ・ポーランド回廊問題を外交交渉で決着させる努力を続けていたのである。フーバーは次のように書いている（A章）。

〈(ドイツ政府は) 八月二十五日になると、ネヴィル・ヘンダーソン駐ベルリン英国大使に接触し、ドイツの要求はダンツィヒの回復とポーランド回廊問題の解決で十分であると伝えたのである。協定に重きを置かないヒトラーの不実の表れか、あるいは連合国との戦いを恐れる気持ちがそうさせたのだろう。とにかく英国との戦いを望まないと伝えたのである。（その他の）旧ドイツ領の回復問題は交渉継続でかまわないとした。〉

ヒトラーは、独ソ不可侵条約を結んでも、軍事力を行使せず、ダンツィヒ・ポーランド回廊問題の外交的解決を図ろうとした。フーバーが書いているように、ヒトラーは決して英国との戦いを望んでいなかった。『我が闘争』で書いていたとおり、そして英国の保守派が望んできたように、武力を使わない形でベルサイユ体制の歪みを解消することを目指した。しかし釈明史観の史書はこのことを意図的にスルーする。ヒトラーはオーストリア併合時から世界制覇を企んでいた悪党である、という主張に一貫性がなくなるからである。

フーバーは、八月二十五日以降の英国、ドイツ、ポーランド三カ国の外交交渉の模様も描写している。ポーランドの外交姿勢は頑なままだった。ポーランドは、英仏の独立保障やルーズベルトの裏工作によるポーランド支援の約束があったとしても、独ソ不可侵条約が成った時点で外交方針を変えるべきであった。ダンツィヒもポーランド回廊も元々、ポーランドの領土ではなかった。ドイツに妥協したとしても、何ら恥じるような外交ではなかった。しかしポーランドは最後までぐずぐずしたままだった。フーバーは次のように書いている（同前）。

〈八月三十一日、リッベントロップ外相は駐ベルリン英国大使に、ポーランドに対し、ただちに全権をベルリンに派遣するよう求めたことを伝えている。ポーランド政府は駐ベルリン英国大使にリッベントロップ外相への接触を指示し、大使はそれに従った。〉

ドイツ軍がすでに国境付近に動員をかけている三十一日になっても、対独交渉を駐独大使に任せる鈍感さは理解に苦しむ。独ソ不可侵条約締結時点、あるいはその後、ドイツの交渉要請のメッセージを、英国を通じて受けた時点で、ポーランドは全権をドイツに遣るべきだった。ポーランドの態度に我慢できなくなったヒトラーは、九月一日、ポーランド侵攻を命じた。これが第二次世界大戦勃発の真相である。

この戦いがなければ日米戦争が起こるはずもなかった。「日米戦争の原因はポーランドの頑なで稚拙な対独外交が原因であった」と言える。しかし日本の釈明史観の歴史書でそのように書くものはない。

次章から、ヨーロッパでの戦端が開いて以降、ＦＤＲがアメリカ参戦をいかにして成し遂げたかの分析に入る。その前に、ドイツ、ポーランド、英国、フランス、アメリカのせめぎ合い外交が展開されている時期の日本の状況に触れておきたい。フーバーの『裏切られた自由』にはない部分だが、日本の読者にとってはこの時期の日本外交を知っておけば、『裏切られた自由』の意味するところをより深く理解できよう。

ダンツィヒ・ポーランド回廊問題でヨーロッパが熱い外交を繰り広げていた頃、日ソの戦い（ノモンハン事件）が続いていた。ノモンハン事件はホロンバイル草原で起きた満蒙国境紛争だった。一九三九年五月半ばに満州国軍とモンゴル人民共和国軍の間で起きた紛争は、日ソ両国の本格的な戦いに拡大していた。独ソ不可侵条約は、八月二十日から始まったソ連軍の大攻勢を日本軍が必死に防いでいた時期に締結された。ソビエトは日独にとって共通の敵のはずだった（日独防共協定：一九三六年十一月調印）。独ソ不可侵条約締結の知らせは、日本にとって寝耳に水だった。リッベントロップ外相が大島浩駐独大使にこの件について伝えたのは、彼のモスクワ出立の前日であった。[*17]

スターリンの独ソ提携の動機に、第一次世界大戦期に失った領土回復があったと書いたが、彼にはもう一つの狙いがあった。ドイツと不可侵条約を締結することで、極東方面での日本との緊張関係を緩和させたかったのである。条約締結によってスターリンの目論見は実現した。

平沼騏一郎内閣は、「欧州の天地には複雑怪奇の現象を生じ……」と述べて、独ソ不可侵条約締結の五日後に退陣した（一九三九年八月二十八日）。後継の阿部信行内閣（三十日成立）は、九月九日に東郷茂徳駐ソ大使に停戦を提議させ、十五日にはノモンハン事件の停戦協定を成立させた。極東方面での憂いを消したその二日後、スターリンはポーランド東部に進駐した（九月十七日）。

〈スターリンは実現寸前だったドイツを標的とする英仏ソ同盟の路線を一夜で独ソ提携に切りかえ、労せずしてポーランド、バルト三国、フィンランドなど東欧地域を支配圏に収めたばかりでなく、（当時議論されていた）日独伊三国同盟を阻止して東西から挟撃される軍事的脅威を除去することができた。[*18]〉（秦郁彦）

ドイツにわずかばかり遅れてポーランドに侵攻したソビエトに対して、英仏は宣戦布告しなかった。ソビエトはポーランドの独立を侵した。その意味でドイツと同罪のはずだった。それにもかかわらず、英仏両国はだんまりを決め込んだ。このことは釈明史観の歴史家にとって都合の悪い事実だけに、宣戦布告しなかったことを問題視しない（無視する）。英仏両国には、独ソ両国を相手にして戦う軍事力などなかった。しかしドイツに続いてソビエトにも宣戦布告しなければ道理は通らない。

【注】

＊1　原文は http://millercenter.org/president/speeches/speech-3310
視聴は、https://www.bing.com/videos/search?q=quarantine+speech&view=detail&mid=6D31C7B346EC454F051B6D31C7B346EC454F051B&FOR

＊2　Jonathan De La Haza Ruano, The Ideological Conflict between the United States and the Revisionist Powers (1933-39), *Strata*, Vol. 1, December 2009, University of Ottawa, p54.

＊3　西川秀和「フランクリン・ローズヴェルト大統領の『隔離』演説」。
http://www.american-presidents.info/furankulinroosevelt.pdf

＊4　同右。

＊5　The Ideological Conflict between the United States and the Revisionist Powers (1933-39), p56.

＊6　Charles Callan Tansill, *Back Door to War: The Roosevelt Foreign Policy 1933-1941*, Greenwood Press, 1975（原著は Henry Regnery Company より一九五二年に出版）, p342.

＊7　FDR's Folly: How Roosevelt and His New Deal Prolonged the Great Depression
https://fee.org/articles/fdrs-folly-how-roosevelt-and-his-new-deal-prolonged-the-great-depression

＊8　Mark Weber, How Hitler Tackled Unemployment and Revised Germany's Economy, *Institute for Historical Review*, November 2011 & February 2012.
http://www.ihr.org/other/economyhitler2011.html

＊9　Margaret Macmillan, *Paris 1919*, Random House, 2001, p234.

＊10　*Churchill, Hitler and the Unnecessary War*, pp90-91.

＊11　Jeffrey Record, *Appeasement Reconsidered: Investigating the Mythology of the 1930's*, Strategic Studies Institute, August, 2005, p15.

＊12　*Churchill, Hitler and the Unnecessary War*, p206.
＊13　*Churchill, Hitler and the Unnecessary War*, p255.
＊14　同右。
＊15　同右、p256.
＊16　『ルーズベルトの開戦責任』・八三頁（文庫版一一一頁）。
＊17　秦郁彦「ノモンハン事件の終結」『政経研究』二〇一三年三月、三九七―三九八頁。
＊18　同右、三九六頁。

第四章　『裏切られた自由』を読み解く

その三：ルーズベルトの戦争準備

フーバーは一九三九年九月一日以降のヨーロッパの戦況を書いている（第1部第5編第23章から第25章）。戦いの詳細は『裏切られた自由』に委ねるが、一九四〇年六月にフランスが降伏し、翌七月からドイツ空軍による英国本土爆撃が始まり、英国上空の制空権をめぐる戦いが始まった（バトル・オブ・ブリテン）。十月末までこの戦いは続いたが、英国は制空権を守りきった。

フーバーは、アメリカの不干渉世論の中で、FDRがどのような内政・外交を展開したかを詳述している（第1部第6編第26章から第10編第42章）。

中立法修正、干渉主義の最初の勝利

ヨーロッパで戦いが始まると、フーバーには、第一次世界大戦期と同様、ヨーロッパ諸国の一般市民を救援する組織を作ることが期待された。フーバーはそれに応えた。

救援事業そのものはフーバーには手慣れた作業だった。

フーバーが最も恐れたのは、ヨーロッパで戦端が開いたことで、ナチスドイツに「蹂躙」される国々への同情心が湧き起こり、国内世論が参戦容認へシフトすることだった。フーバーの主張の根幹は、戦いがどれほど悲惨であってもアメリカは参戦せず、自由の灯りを点しつづけることであった。ヨーロッパの人々自身が解決の糸口を見出し、そこから新たな民主主義国家を創造すると決めたときにアメリカは必要な支援をする。それこそがアメリカがとるべき外交だと信じていた。

現実の戦いがベルサイユ体制の不正義に起因していることをフーバーは理解していた。第一次世界大戦にウィルソン大統領が参戦を決めたことで、アメリカはフリーハンドの立場で仲介することができなくなった。その経緯を十分にわかっているからこそ、今次の戦いでは同じ過ちを繰り返してはならないと考えた。イギリスやアメリカ国内の干渉主義勢力による猛烈なプロパガンダ攻勢があることは確実であった。それだけに、干渉主義勢力との厳しい戦いを覚悟していた。

フーバーは戦いの始まった当日（九月一日）の夜、ラジオで次のように演説した（「編者序文」）。この訴えにフーバーの思いが凝縮している。

〈今度の戦いは消耗戦となろう。きわめて残酷な戦いとなり、（戦いが終わっても）

年	国民総生産（GNP：億ドル）	失業率（%）	失業者数（千人）
1933	560	24.9	12,830
1934	650	21.7	11,340
1935	725	20.1	10,610
1936	827	16.9	9,030
1937	908	14.3	7,070
1938	852	19.0	10,390
1939	911	17.2	9,480
1940	**1,066**	**14.6**	**8,120**

表の数字は、菊池英博「金融大恐慌と金融システム」に拠る（*1）

その後の四半世紀は窮乏を強いられる生活になるだろう。〉

〈（ナチス体制を嫌うアメリカ国民は、民主主義国に同情するだろうが）アメリカはヨーロッパの問題を解決できないことを肝に銘ずるべきだ。我が国ができることは、あくまで局外にいて、アメリカの活力と軍事力を温存することである。その力を必ずや訪れるはずの和平の時期に使うべきである。それこそが我が国の世界への貢献のあり方である。〉（傍点渡辺）

戦いが始まると、英仏両国は第一次世界大戦期と同じく、アメリカを武器の供給工場と見做し、軍需品の調達に走った。筆者は、これこそがFDRがポーランド外交を硬直させ、ドイツとポーランドの二国間交渉による外交決着を妨げた動機だと疑っている。ニューディール政策の失敗は、第一次世界大戦期と同様に連合国の武器供給工場になることで覆い隠すことが可能だった。自身の権力維持も可能となる。実際、経済の数字はそのとおりに動いた（前頁の表）。一九四〇年には目に見えて経済が回復していることがわかる。

ＦＤＲの狙いが連合国の武器供給工場になることであったとしても、そこには「障害」があった。第一次世界大戦の反省を踏まえて、アメリカの政治家は、外国で戦争が起きた場合、交戦国に武器の輸出を禁じる法律を作っていた。それが中立法（一九三五年）だった。大統領が交戦国と認めた国や内乱が激化している国へは武器輸出ができないことになっていた。ＦＤＲ政権はヨーロッパでの戦いの始まりを予期していただけに（むしろ起こさせたと言った方が正しいが）、中立法の修正を早い段階から議論していた。

「ルーズヴェルトとハル国務長官は『できることなら中立法の完全廃止かそれでなければ侵略国に対してのみ武器禁輸を適用できる裁量権を望んでいた』が、上院外交委員長のピットマンは、『望みうる最良のものは武器禁輸の廃止と軍需品を含むアメリカから交戦国へのすべての商品にキャッシュアンドキャリー（現金自国船主義）を適用することだと信じていた』ので、政府もその線で進める方針を固め」[*2]ていた。これが一九三九年の状況だった。

右記の方向での中立法修正の動きが進み、翌四〇年には議会でも通過する予定だった。それが九月一日のポーランド侵攻で早まることになった。ＦＤＲは現行中立法の規定に従って、ヨーロッパでの戦争状態の存在を宣言した（九月五日）。

中立を宣言はしたが、FDRがすでに議論されていた武器禁輸条項を廃止し、中立を実質無効にするのは難しい作業ではなかった。不干渉主義に立つフーバーやその他の政治家でさえも英仏への武器供給継続は止むなしと考えていた。フーバーの考えは次のようなものであったと編者のナッシュ氏は書いている（「編者序文」）。

〈彼（フーバー）は、英仏への武器供給を可能とすること自体には反対しなかった。両国が現金で買い付けるかぎりは容認する立場を取った〔訳注：アメリカが購入資金をファイナンスしないという意味である〕。そうすることで、「高まる干渉主義の圧力を鎮められる」と考えたからだった。〉

フーバーと同様に不干渉主義者であったロバート・タフト上院議員（共和党）、ジョージ・ノリス上院議員（元共和党）らも修正に同意した。ノリス議員の修正賛成のロジックは、「禁輸を廃止すれば英仏を援助することになり、廃止しなければヒトラーとその同盟国を助けることになり、結局全体的な中立は不可能である」[*3]というものだった。

筆者は、フーバーを含めた不干渉主義に立つ政治家は、中立法の修正にあくまで反対すべきだったと思っている。武器が尽きれば、あるいはアメリカからの武器供給の見通しが立たなくなれば、英仏は必ずドイツとの外交的妥協に迫られる。そもそも自国の安全保障と無関係な理由（ポーランド独立保障）により対独宣戦したのは英仏両国であった。ヒトラーはもとより西部方面（英仏両国）での戦いを望んでいなかったことは、フーバーらにもわかっていたことだった。

いずれにせよFDRは、中立法の修正が成立したことで、ニューディール政策の失敗の糊塗に成功する。先の表に示したように一九四〇年には、失業者数を開戦前より一気に百万人以上減らすことに成功した。FDRの干渉主義的外交の最初の勝利であった。

国民世論工作

FDRは、中立法の修正でニューディール政策の失敗を隠し通す目安がついた。次のステップは国民世論を干渉主義に導き、現実に参戦することであった。経済政策の視点からすれば、アメリカは現実に参戦することなく、不況から脱出する目安はついている。しかし、FDRは駐仏大使ブリットを通じアメリカの参戦をすでに「約束」していた。だからこそポーランドは、全く勝てる見込みのない戦いを覚悟した。英仏両国も同様である。その結果ポーランドは、独ソ両国に国土を二分され、フランスはドイツに降伏した。英国だけはかろうじて制海権と（自国の）制空権を守りきったが、大陸に反攻する陸軍など持ってはいなかった。

この事実だけを見たときに、なぜ英国、フランス、ポーランドは負け戦を選んだのか、疑問が湧かなくてはならない。これに対する回答は二つしかない。「三国の政治家がすべて愚かだった」か「FDRがアメリカの参戦を確約していたから」のどちらかである。

フーバーは、ルーズベルトが何らかの工作を仕掛けたことが、三カ国の政治家に愚かな行動を取らせたと考えている。FDR政権は、密約はしたものの、容易には行動（参戦）できなかった。国民はヨーロッパ問題に干渉（参戦）することを拒否していたからである。

チェコスロバキア解体後のアメリカ世論調査の数字をフーバーは挙げている。その調査では、「八五パーセントが外国の揉め事に介入することに反対であった」（第1部第4編第18章）ことを示していた。『裏切られた自由』には書かれていないが、一九三七年のギャロップ調査では七〇パーセントのアメリカ国民が第一次世界大戦期に参戦したことは間違いだったと考えていた。[*4] アメリカ国民はヨーロッパで戦雲が立ち込めても、その考えを変えていないし、むしろ非介入の意見が増加していたのである。

アメリカ国民は、基本的にはドイツの全体主義を嫌ってはいたが、より重要な点は、英仏の対独宣戦布告の理由が理解できないことであった。英仏はドイツに攻撃されたわけではない。他国（ポーランド）の独立を守るために宣戦布告したのである。他民族のために自国の若者に命を捨てさせる覚悟をしたのである。常識的に考えて、そんなことができるのだろうかとアメリカ国民は疑った。そこにアメリカ国民の見識があった。英仏の戦いの理由がどうしてもわからなかったのである（この見識を粉々に砕いたのが真珠湾攻撃だった。いかにFDR政権の対日外交が日本を追い詰めるものであったとしても、真珠湾攻撃は愚かだった。アメリカの参戦を止めていた世論を一気に変質させた。それが真珠湾攻撃の愚かさの本質である）。

FDR政権は、イギリス、フランス、ポーランドへの密約と国民世論の間で板挟みになった。ヨーロッパではすでに戦いが始まってしまった。このジレンマを解決するには国民世論を変えさせなければならなかった。そのためには、ナチスドイツの恐怖を煽ることが有効であった。フーバーはそのことを第29章（第1部第7編）「ヒトラーがやって来る！」で詳述している。

フーバーは、ヨーロッパでの戦端が開くとすぐに、イギリスの激しい米国世論工作が始まり、FDR政権がそれに呼応したメディア工作を仕掛けるだろうことを予期した。第一次世界大戦期に行なわれたことが繰り返されるだろうと怖れた。彼はアメリカ国民に警告を発した（第1部第29章）。ドイツのポーランド侵攻の一カ月前のことである。

〈国民に真実を知らせない技術がますます蓄積されている。そのための手段にあらたにラジオ放送という武器（手段）ができた。先の大戦の初めから、我が国民に対するプロパガンダの様をじっくり見ることになった。プロパガンダは、敵対する両陣営それぞれから仕掛けられた。そのやり口はある意味見事なもので、私は、そうしたプロパガンダの実態を示す資料を収集した。それらはスタンフォード大学の戦争資料館に保管してある。各国政府が発したプロパガンダ資料に「嘘」を見ることができる。（我が国の広報組織から発せられた）嘘とは、「参戦しなければ、民主主義はこの世から消える」というものであった。〉（『アメリカン・マガジン』誌、一九三九年八月）

この文章は、両陣営からの工作について書いているが、実際は英国やFDR政権によるプロパガンダへの警告であることは、最後に「嘘とは、『参戦しなければ、民主主義はこの世から消える』というものであった」と書いていることからわかる。

ヨーロッパで戦端が開かれると、案の定、FDR政権によるプロパガンダ工作が開始された。それが「ヒトラーがやって来る」キャンペーンだった。その典型的な言い回しが、ルーズベルトの対英ポ工作の中心にいたブリット駐仏大使のスピーチ（一九四〇年八月十八日）だった。翌日の『ニューヨーク・タイムズ』紙はそのスピーチを次のように報道した（第1部第29章）。

〈私（ブリット）自身の経験と、ワシントン政府が収集した情報を総合すると、我が国はいま危機的状況にあると言えよう。我が国は、ちょうど一年前のフランスが置かれた状況にある。いま決断し行動を起こさなければ手遅れになる。

独裁者が我が国を侵略できないのは、英国艦隊の存在と、英国民の強い意志があるからだ。英国艦隊は枢軸国をいつまで閉じ込めておくことができるのだろうか。枢軸国の海軍がいつ大西洋に進出し、我が国を脅かすか。それは誰にも予測することはできない。〉

ドイツ海軍はイギリス海軍に抑え込まれていた。狭いイギリス海峡さえ自由に航行できないドイツ海軍が、大西洋にまで進出することはあり得ないことだった。そのあり得ない事態をブリットは煽った。一九四〇年も暮れようとする十二月二十九日には、ルーズベルト自身が、いわゆる「炉辺談話」の中で次のように語り、国民を怯えさせた（第1部第29章）。

〈枢軸国が我が国を攻撃することなどあり得ないと訴える者がいる。これこそ希望的観測というものだ。そのような思いを持ってしまったために抵抗する心を失い、征服されてしまった民族は多い。ナチスは、他民族は劣等であると繰り返し主張してきた。彼らの主張である。劣等民族は優秀な民族（ドイツ民族）に隷属しなくてはならない。それが彼らの主張である。注意しなくてはならないのは、我が国の資源と富の存在である。これをナチスは狙っている。

現実から目を背けてはならない。他国を侵略し、支配し、腐敗させた恐ろしい力が、我が国の目の前まで迫ってきている。〉

先に書いたように、一九四〇年十月末には、英国はバトル・オブ・ブリテンに勝利し、英国上空の制空権を守りきっていた。ドイツは最大でわずか三十四キロメートルの距離しかないイギリス海峡さえ渡ることができなかった。それにもかかわらず、ルーズベルトは無用な恐怖心を煽った。

ルーズベルトの悪質な、国民を怯えさせる「説得」は、ナチスドイツがその牙を東方に向けてからも続けられた（第1部第29章）。

〈ガラガラヘビがこちらに向かって咬みつこうとしている時に、咬みつかれるまで待っている者はいない。ドイツやイタリアの艦船が海を渡ろうとすれば、彼らは我が国の反撃を覚悟しなくてはならない。合衆国陸海軍の最高指揮官として、侵入者は撃退する。私はその命令を躊躇(ちゅうちょ)なく下す。〉

〈私の手元には、ヒトラー政府が極秘に作成した地図がある。新世界秩序を夢想する者たちが描いた地図である。そこには、南アメリカと中央アメリカの一部が描かれている。ヒトラーがこの地域の再編成を企図していることがわかる。地図に描かれた地域にはいま一四の国が存在する。ヒトラーはその国境を消してしまおうとしている。彼らは南アメリカを五つに分割し、その属国化を企んでいる。そのうちの一カ国は、我が国の生命線であるパナマ運河を領有することになっている。

手元にあるこの地図は、ナチスの狙いが、単に南アメリカを支配するだけでなく、我が国までも狙っていることを示している。

この地図の他にも、ヒトラー政府が作成した文書を入手している。そこには、ドイツが勝利したら、何をするかが書かれている。彼らが決して公表できない、公表したくない内容である。そこには宗教の廃止が謳(うた)われている。カソリック、プロテスタント、イスラム、ヒンドゥー、仏教、ユダヤ。宗派にかかわらず廃止を企んでいる。教会所有の財産は、すべてドイツ政府あるいは傀儡政権の所有となる。十字架を含むすべての宗教的シンボルは破棄され、聖職者らは追放されたり強制収容所に送られる。ヒトラーより神を敬う者たちはそこで拷問を受けるのである。
　ドイツは我が国に国際ナチス教会なるものを設置し、説教師はドイツから送り込まれる。そこで説教されるのは聖書に代わってヒトラーの著書『我が闘争』である。教会には十字架に代わって鉤十字が飾られる。〉

　FDRのこうした国民への語りかけは「お伽噺（とぎばなし）」だった。あまりの馬鹿らしさにフーバーは、元海軍作戦部長のウィリアム・V・プラット提督（退役）の意見を聞いた（第1部第29章）。

〈イギリスと（亡命）オランダ政権の保有する艦船は一六〇〇万トンである。一方のドイツ、イタリアの艦船は五二万トンに過ぎない。イギリス本土侵攻について考えてみても、イギリス海峡を越え、イギリス国内に前進基地を作ることはきわめて難しい。前進基地の設営だけでも三〇万の兵力と、商船を含む大艦隊で、一〇〇万トンを超える物資を運ぶ必要がある。前線基地ができたら、さらに一〇〇〇万の軍を遣らなくてはならない。この侵入に対して、英国艦隊はもちろん黙ってはいない。〉

フーバーが『裏切られた自由』で語る、FDR政権の国民を恐怖させるプロパガンダは、今から見れば滑稽なほどであるが、FDRがどれほどヨーロッパの戦争に介入したかったかを示していた。しかしアメリカ国民は賢明であった。FDRの語るお伽噺を信じなかった。これがFDRの焦りを募らせた。何か新しいやり方を考えなくてはならなかった。それが対日強硬外交であったことは言うまでもない。

武器貸与法

FDRは、世論工作に失敗した。一九四〇年十一月の選挙戦でFDRはアメリカ史上初の三選を遂げた。しかしそれはアメリカ国民に「嘘」をついて獲得したものであった。その「嘘」とは、アメリカは参戦しない、アメリカの若者を戦地に遣らないという公約だった。選挙日（十一月五日）の迫った十月三十日、FDRはボストンで次のように演説した（第1部第8編第30章）。

〈いま私の話を聞いている父や母の皆さんに、もう一度はっきり申し上げる。私はこれまでも述べてきたように、そしてこれからも何度でも繰り返すが、あなた方の子供たちが外国の地での戦争に送り込まれることは決してしてない。〉

このような公約をしなければ三選はあり得なかった。このことは前節で書いた「ヒトラーがやって来る」キャンペーン、つまり国民を怯えさせるプロパガンダ工作が失敗していたことを示すものだった。したがって、国民世論は「アメリカが現実に攻撃される」ような、劇的な事件がなければ変わりようがなかった（劇的な事件は翌年の真珠湾攻撃で現実となる）。

手詰まりとなったＦＤＲ政権の「次善」の策は、可能なかぎりの英国への武器供給であった。その目的は武器貸与法で達成された。武器貸与法とは「アメリカ防衛に役立つと考えられる場合には、外国政府に、旧式新式を問わずあらゆる武器を、ほぼ無制限で供給できる権限を大統領に与えるもの」（『ニューヨーク・タイムズ』紙、一九四一年一月十一日付）であった（「編者序文」）。

この法律はチャーチルの要求に応えたものだった。チャーチルは二月九日のラジオ演説で、「我々は絶対に挫けないし、戦いに負けない。ただし、そのための道具（武器）が必要だ。それを提供してくれれば、自分たちで仕上げの仕事はする」（Give us the tools 演説）とＦＤＲに迫っていたのである。チャーチルは、英国に対独強硬外交を取らせたのがルーズベルトであることを知っていた。だからこその発言だった。

武器貸与法（Lend Lease Act）は、このチャーチルの演説の一カ月後に成立した（一九四一年三月十一日）。受益国は一応、対価を支払う体裁にはなっていたが、返済

支援額総計（単位：ビリオン〈10億〉ドル）

英国	31.0
ソビエト	11.0
フランス	3.0
中国	1.5
その他ヨーロッパ諸国	0.5
その他南米諸国	0.4
総額	**48.6**

出典：http://www.historycentral.com/ww2/events/lendlease.html

条件は曖昧だった。支援額の合計は、上の表のとおりである（ソビエトは一九四一年六月二十二日の独ソ戦の開始により支援対象国となった）。

先に英国への武器輸出そのものを容認する中立法について、フーバーは賛成だったと書いた。しかしこの武器貸与法については明確に反対の態度を取った。フーバーはその理由を次のように書いている（「編者序文」）。

〈この法律で大統領は開戦権限まで持つことになり、議会は追認するだけの機関になり下がる。このままでは我が国そのものが国家社会主義国家に変貌し、ルーズベルト自身が独裁者となる。枢軸国に反対する人間が真の独裁者という（情けない）ことになってしまう。〉

フーバーは、この法律の施行で、「不干渉主義者の主張が、独裁者を擁護するのかと言われ、非難される」ような言論空間ができてしまうことを恐れた。武器貸与法によってアメリカの参戦が近づいたことを確信したフーバーは落ち込んだ。ナッシュ氏は次のように書いている（「編者序文」）。

〈武器貸与法を巡る議論を通じ、（そして法案が可決されたことで）フーバーは落ち込んだ。「この法律は世論をますますアメリカ参戦の方向に向けてしまうだろう」と危惧した（三月九日）。戦争に巻き込まれれば二〇年も続くような長期戦になるだろうし、国民も戦争（やむなしの）心理に陥り、九〇日もすれば参戦となるのではないかと心配した。フーバーは、「来年の夏は釣りを楽しめそうもないな。それまでには僕は強制収容所に入っているだろう」と自虐的な冗談まで言うようになった（四月五日）。〉

フーバーの落胆ぶりからもわかるように、武器貸与法が成立した時点で、ワシントンの政治の動きを知る者は、ＦＤＲが戦争への道をひた走っていることを確信していた。

独ソ戦

一九四一年六月二十二日、ヒトラーは独ソ不可侵条約に違背してソビエトに侵攻し

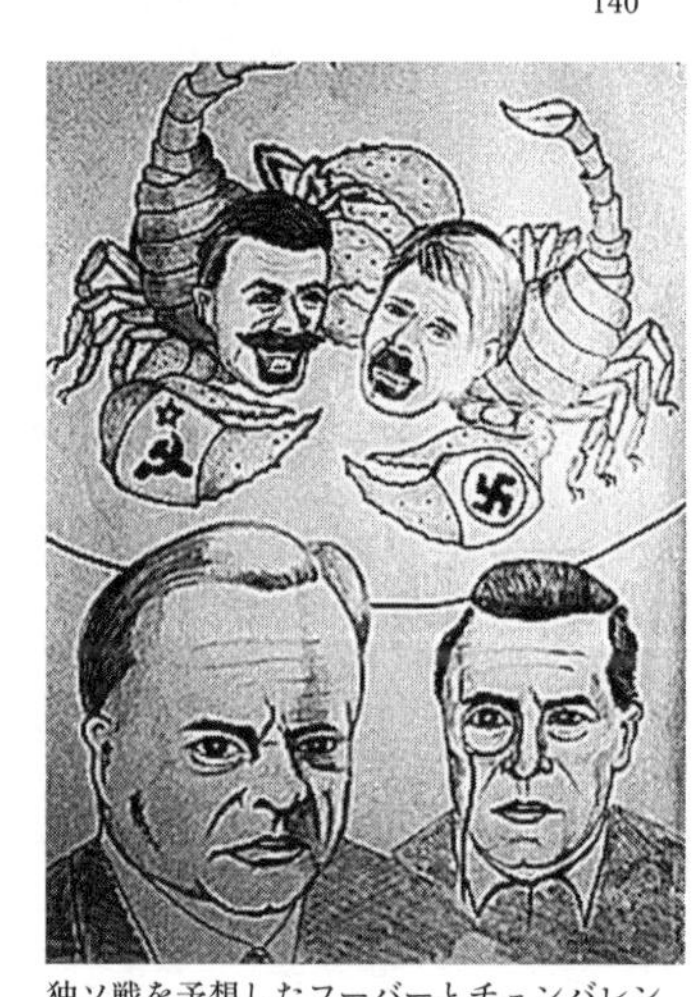

独ソ戦を予想したフーバーとチェンバレン
（イラストレーション：T. Uehara）

た。フーバーはこの新たな戦いの意味を第33章から第35章（第1部第9編）で詳述している。三章も費やしているのは、この事件が極めて重要な意味を持っているからである。フーバーはこのときにこそルーズベルトには「恒久和平実現のチャンス」があったと考える。

ヒトラーは、バトル・オブ・ブリテンが失敗に終わると、英国本土侵攻に備えていた陸軍部隊を東方に移動させた。この事実が、ドイツは対ソ戦の準備を進めているだろうことを示していた。ドイツに駐在していた米国の武官は早くも一九四〇年時点で、陸軍省にこの新しい動きを報告していた。

〈ヒトラーが、独ソ不可侵条約を破り、ロシアを攻撃するかもしれないという見方は、フランスの降伏後すぐにアメリカ政府に伝わった。トルーマン・スミス大佐はドイツに駐在武官として派遣されていたが、優秀な人物だった。彼は早くも六月二十日の時点で、ヒトラーの西部方面の攻勢が成功裏に終わりしだい、対ソ戦が始まるとの見方を陸軍省に伝えていた。フランス降伏のおよそ一カ月後（七月二十四日）、スミス大佐は、ドイツ軍がロシア国境付近に集結していることを報告した。十月一日には、ドイツのイギリス本土への攻撃の可能性はこの年（一九四〇年）にほとんどなくなったとの意見も寄せている。〉（第33章）

〈一九四〇年十二月十一日、ワシントンに戻っていたスミス大佐は、ドイツ軍の六五パーセントが東部（ドイツ本国、ポーランド、ヨーロッパ南東部）に配置されていると報告した。この数日後には、英国本土侵攻のために準備されていたと思われる部隊は撤収していることも報告している。同時期に、ソビエト駐在武官からは、同国軍がドイツ方面に移動していると伝えてきていた。〉（同前）

翌四一年には、アメリカが独ソ戦が始まることを確信していることもわかる。「一九四一年一月後半には、国務省次官サムナー・ウェルズは、ドイツ軍が春頃には対ソビエト戦を企んでいると、駐米ソ連大使コンスタンチン・ウマンスキーに伝え」（同前）ているからである。

独ソ戦が開始されれば、英国敗北の可能性は消える。そして当然のことであるが、ナチスドイツがアメリカの安全を脅かすことなどあり得なくなる。まさにこの状況こそ、フーバーをはじめとしたアメリカの不干渉主義者や英国の対独宥和派が予想（期待）していたものだった。

こうなることを早くから見通していた不干渉主義勢力は、「高みの見物」を決め込むのがアメリカの取るべき外交だと信じていた。独ソ両国（二人の怪物）が死闘を繰り広げ、国力を消耗した時点で仲介に入る、そのときに恒久和平の枠組みを提案するのである。しかしFDRは、ソビエトをたちまちにして友好国として扱うことを決める。ポーランド独立を侵したのはソビエトも同罪だった。ドイツに少しばかり遅れただけであった。

ソビエトはフィンランドにも侵攻していた（一九三九年十一月三十日）。アメリカはそれを受けてソビエトに対する禁輸措置を取っていた。この政策をあっさりと反故にした。国務省次官サムナー・ウェルズが、駐米ソ連大使コンスタンチン・ウマンスキーに次のように伝えた（一九四一年一月二十一日。第33章）。

〈貴殿に我が国政府の方針をお伝えする。一九三九年十二月二日に決定した貴国に対する禁輸政策、つまり「道徳的禁輸（the moral embargo）」については、今後適用しないこととする。〉

アメリカは、独ソ戦が始まるずいぶんと前から、ソビエトを友好国に切り替えていたことがわかる。アメリカの政策変更にはロジックらしきものはない。先に書いたように、ルーズベルトの親ソ的態度と、同政権に侵入していたソビエトスパイや容共派政府高官の意向が働いていたことは間違いないであろう。

独ソ戦が始まると、FDR政権の動きはにわかに慌ただしくなった。大統領は二十四日の会見で、「我が国は可能なかぎりの支援をソビエトに与える」と語り、翌二十五日にはウェルズ国務省次官が、FDRの意向として、ソビエトには中立法を適用しないことを発表した。さらに武器貸与法を使ってのソビエトへの武器支援が決まった（第1部第34章）。

共産主義国との提携は、ワシントンの議会では一度も検討されていなかった。何の議論もなく、行政府の決定だけで対ソ支援が決まった。戦後の歴史教育では、この唐突なアメリカの対ソ外交の変質については一切語られない。アメリカとソビエトは、先の大戦ではアプリオリに連合国であるかのごとく語られる。しかしフーバーが書いているように、アメリカの対ソ支援はFDR政権の議会を無視した暴走であった。

フーバーは強い危機感を持った。全国ネットのラジオ放送を通じて、アメリカがスターリンのロシアを支援することの非倫理性を訴えた（六月二十九日。同前）。

〈我々はヒトラーの残虐な行為、侵略行為、民主主義を破壊する行為を知っている。ポーランド、ノルウェー、オランダ、ベルギー、デンマーク、フランスがその犠牲になり、それ以外の国も風前の灯火だ。しかし私が皆さんにいま訴えているのは、スターリンの行状なのである。〉

〈いまの状況をさらに進めて、我が国が現実に参戦し我々が勝利すれば、スターリンはロシアの共産主義を盤石にし、共産主義思想を世界各地に拡大させることになる。〉

〈（スターリンを支援する戦いであれば）私たちは、若者たちに、世界に民主主義と自由を取り戻すために命を投げ出せなどとは言えないのです。我々は機関銃で思想や理想を殺すことはできない。たとえ物理的戦争に敗北しても、人間の心の内に理想は生き続ける。その理想の正しさが、あるいは間違いが自身で理解できるまでその思いは消えない。〉

フーバーの共産主義思想への警戒、ソビエトと提携することの非倫理性を訴えるスピーチは十分な効果があった。国民世論が参戦容認に傾かなかったことがそれを示している。

独ソ戦開始で最もほっとしたのはチャーチルのはずだった。しかしチャーチルは、英国保守派の考えていた「高みの見物」案を一顧だにしなかった。チャーチルもルーズベルトと同じ姿勢をとったのである。チャーチルは、ドイツのポーランド侵攻後、海軍大臣に迎えられ、チェンバレン首相の退陣（一九四〇年五月十日）を受けて首相に就任していた。チャーチルは、スターリンのロシアを嫌っていたはずだった。しかし独ソ戦が始まったその日に次のように演説した（第1部第35章）。

〈（ソビエトが犯した）過去の罪、愚かな行為とそれが生み出した悲劇。こんなものは水に流す。いまロシアの兵士が、太古の昔から祖先が耕してきた大地を必死に守っている。そして兵士の母や妻が祈りを捧げている。愛する者が無事に帰ってくるように、家族を守る稼ぎ手が傷つかないように祈っている。

ナチスの支配と戦う人々、あるいはそれと戦う国を、我が英国は惜しみなく支援する。いかなる国家いかなる人間も、ヒトラーと手を携えるかぎり我が国の敵である。〉

チャーチルのこの演説には何の倫理性もない。そこにあるのは、「敵の敵は味方」という単純なロジックだけである。戦後の「鉄のカーテン」演説（一九四六年三月）で、チャーチルには、あたかも反共主義者のようなイメージがある。しかし対ソ戦の始まった時期には、右記のような演説をしていたのである。このことを釈明史観の歴史書は書こうとしない。チャーチルは、必ず起きる独ソ戦を傍観すべきだ、その方が最終的には恒久的和平の建設に有効であるという、フーバーやチェンバレンのロジックを理解できていない。『裏切られた自由』の記述を読めば、フーバーがチャーチルを評価していないことは、はっきりしている。そのフーバーの不信の根拠が右記のチャーチル演説なのである。

戦争への道：ドイツと日本を刺激する（1）大西洋憲章の嘘

前節までに取り上げたフーバーの『裏切られた自由』の記述で、FDR（とチャーチル）が相当に早い段階でソビエトを友好国として扱おうとしていたことがわかる。枢軸国に対して、米英ソで連合国を形成したかった。しかし、アメリカの参戦は叶わずにいた。世論がそれに激しく反対していた。八〇パーセントを超える反対は、おそらく日常的な感覚で言えば、国民全体が反対しているような感じだったのではないか。FDR政権がどれほど「ヒトラーがやって来る」プロパガンダで脅しても、世論はびくともしなかった。それほどにアメリカ国民は第一次世界大戦後のヨーロッパに幻滅していたのである。

FDRは三選のためには国民世論に迎合せざるを得なかった。FDRは反ヒトラー・キャンペーンだけでは世論は動かないと考えた。この世論を変えるには、ドイツによる明確なアメリカ攻撃が必要であると考えた。そしてそれがうまくいかないことがわかると、ドイツと軍事同盟（日独伊三国同盟：一九四〇年九月二十七日締結）を結んでいた日本を刺激し、アメリカを攻撃させることを考えたのである。

フーバーは第36章から第42章（第1部第10編）で、FDR政権がいかにドイツを刺激したかを詳述し、それがうまくいかないと知るとターゲットを日本に移したと述べている。フーバーは次のように書いている（第36章）。

〈国民も議会も我が国の参戦に強く反対であった。したがって、大勢をひっくり返して参戦を可能にするのは、ドイツあるいは日本による我が国に対する明白な反米行為（some overt act against us）だけであった。ワシントンの政権上層部にも同じように考える者がいた。彼らは事態をその方向に進めようとした。つまり我が国を攻撃させるように仕向けることを狙ったのである。〉（傍点渡辺）

介入に反対する世論を前にして、あからさまな挑発はできなかった。国民に隠れて実行する必要があった。ドイツを刺激する工作を始めたらしいとアメリカ議会が勘づいたのは、一九四一年七月初めのことであった。ノックス海軍長官の発言から、ドイツ潜水艦に対して攻撃命令が出されているのではないかと議会が疑ったのである。ノックス長官は、七月十一日には非公開の審議の場で、それを認めた。これはすでに戦争行為そのものだった。

フーバーは直ちに、FDR政権のこのような疑似戦争行為を非難する声明を出している(八月五日。同前)。

〈我が国政府は、宣戦布告なき戦争に一歩一歩進んでいる。国民は議会に対して、政府のそのような動きに「待った」をかけるよう要求する。議会に開戦権限があることは言わずもがなだが、同時に議会は、上下両院が戦争すると決めた場合以外には、我が国が参戦しないようにする義務を負う。〉

〈いったん参戦してしまえば、それができなくなる。我が国民の生命を犠牲にするのは、我が国の独立を守るために侵略者と戦う時だけなのである。我が国がしっかりと防衛体制を整えていれば、枢軸国が我が国の独立を脅かすようなことはない。そうではないと考える者はほとんどいない。

我々がすべきことは、自由を守るための防衛力を確かなものにすることだ。他国の戦争の結果がどうあろうと、我が国の自由が脅かされることはない。〉

ＦＤＲもチャーチルも、フーバーやアメリカ第一主義委員会の活動もあって、全く動じないアメリカ世論を何とかしなくてはならなかった。「不干渉主義（non-interventionism）」という用語を「自国だけ良ければいい」という意味を持ちかねない「孤立主義（isolationism）」に言い換えた。しかし、それだけでは世論の転換には力不足であった。さらにインパクトのある手法を考えなくてはならなかった。それが「大西洋憲章」の発表であった。

一九四一年八月九日、ルーズベルト大統領とチャーチル首相は（カナダの）ニューファンドランド島沖の洋上で会談した。両首脳の声明が発表されたのは十四日のことである。その内容は以下のようなものであった。

〈アメリカ合衆国大統領及び連合王国に於ける皇帝陛下の政府を代表する「チャーチル」総理大臣（首相）は会合を為したる後両国が世界の為一層良き将来を求めんとする其の希望の基礎を成す両国国策の共通原則を公にするを以て正しと思考するものなり。

一、両国は領土的其の他の増大を求めず。

二、両国は関係国民の自由に表明せる希望と一致せざる領土的変更の行わるることを欲せず。

三、両国は一切の国民が其の下に生活せんとする政体を選択するの権利を尊重す。両国は主権及自治を強奪せられたる者に主権及自治が返還せらるることを希望す。

四、両国は其の現存義務を適法に尊重し大国たると小国たると又戦勝国たると敗戦国たるとを問わず一切の国が其の経済的繁栄に必要なる世界の通商及原料の均等条件に於ける利用を享有することを促進するに努むべし。

五、両国は改善せられたる労働基準、経済的向上及び社会的安全を一切の国の為に確保する為、右一切の国の間に経済的分野に於て完全なる協力を生ぜしめんことを欲す。

六、「ナチ」の暴虐の最終的破壊の後、両国は一切の国民に対し其の国境内に於て安全に居住するの手段を供与し、且つ一切の国の一切の人類が恐怖及欠乏より解放せられ其の生を全うするを得ることを確実ならしむべき平和が確立せらるることを希望す。

七、右平和は一切の人類をして妨害を受くることなく公の海洋を航行することを得しむべし。

八、両国は世界の一切の国民は実在論的理由に依ると精神的理由に依るとを問わず武力の使用を抛棄するに至ることを要すと信ず。陸、海又は空の軍備が自国国境外への侵略の脅威を与え又は与うることあるべき国に依り引続き使用せらるるときは将来の平和は維持せらるることを得ざるが故に、両国は一層広汎にして永久的なる一般的安全保障制度の確立に至る迄は斯る国の武装解除は不可欠のものなりと信ず。両国は又平和を愛好する国民の為に圧倒的軍備負担を軽減すべき他の一切の実行可能の措置を援助し及助長すべし。〉

これが大西洋憲章と呼ばれるものであるが、交戦国のイギリスにすれば、その戦争目的を表現したものにすぎない。だがアメリカはこの時点では交戦国ではない。それにもかかわらず、あたかも交戦国のごとく戦争目的を公にした。現代の教科書や歴史書で大西洋憲章を批判するものはないが、同時代のアメリカの政治家の評価は必ずしも芳しくなかった。

〈八月十四日、声明はワシントン上院で議論された。パット・マッカラン上院議員〔訳注：民主党、ネバダ州〕は、これでは「我が国は宣戦布告したのも同然だ」と憤った。デイヴィッド・I・ウォルシュ上院議員〔訳注：民主党、マサチューセッツ州〕は、「憲法で認められた大統領権限を大きく逸脱する」と非難した。D・ワース・クラーク上院議員〔訳注：民主党、アイダホ州〕も、ロバート・R・レイノルズ

上院議員〔訳注：民主党、ノースカロライナ州〕もその非難に加わった。〉（第36章）

右記の批判にもあるように、交戦国でもないアメリカがこのような声明を出すことは、実質的な対独宣戦布告だったのである。だからこそ与党民主党の議員も憤った。もちろんこの声明を評価した議員もいた。

〈アルベン・バークレー上院議員〔訳注：民主党、ケンタッキー州〕は、「自由と民主主義を信じるすべての人の心に響くであろう」と述べ、クロード・ペパー議員〔訳注：民主党、フロリダ州〕は、「素晴らしい。世界独立宣言のようなものだ」と語った。〉（第36章）

声明の内容そのものを評価する者はいても、交戦国でないアメリカがこのような声明を出すことはやはり問題であった。FDRはそれをわかっていた。議会だけが有する開戦決定権限に抵触する可能性があった。だからこそ、「憲章には、『望む』『努力する』『期待する』『信じる』という言葉がちりばめられていて、『合意した』とか『協定』とかいう言葉が使われていなかった。この憲章が憲法に抵触するのではないかという疑念を避ける工夫」（同前）がなされていた。

太西洋憲章の内容は、チャーチルにとっても大きな問題を生んだ。憲章の第三項がそれである。

〈三、両国は一切の国民が其の下に生活せんとする政体を選択するの権利を尊重す。両国は主権及自治を強奪せられたる者に主権及自治が返還せらるることを希望す。〉

この内容は、大英帝国内のインド、ビルマなどの植民地の人々も自らの意志で自由な政体を選び、失われた主権を回復できるとするものだった。

〈チャーチルも同政権の閣僚も第三項を心配した。（中略）第三項が植民地の住民の反植民地活動を認めることになると危惧した。〉[*5]

大英帝国を崩壊させる（実際そのように歴史が進んだ）この第三項を憲章に挿入することをチャーチルが決断したのは、次のような理由だったとアメリカの政府公式サイト「Office of the Historian」は書いている。

〈アメリカとともに憲章を発表すること。それがチャーチルにできる精一杯のことであった。アメリカが中立のままでいる中でこの憲章が出れば、イギリス国民の士気を高めることができた。さらに重要なのは、アメリカ（国民）をより親英にさせることであった。チャーチルは八月十一日に、閣僚に憲章内容を示した。彼は、ここで面倒なことを言わないでほしいと警告した。閣僚はチャーチルの意見に従って憲章を承認した。[*6]〉

このようにアメリカ政府のサイトでさえ、大西洋憲章が必ずしも崇高な理念に基づいた声明でないことを認めているのである。フーバーと同様に歴史修正主義に立つハミルトン・フィッシュ下院議員の次の言葉が大西洋憲章の本質を示している。

〈大西洋憲章はプロパガンダであると主張しなくてはならないのは悲しいことである。私はこの憲章が発表されたときには素直に喜んだ。私は議会内の発言でも支持を表明しているから議会の議事録にもそれが記録されている。私は、この憲章をわが国と英国が民主主義のプロセスの重要性を訴え、民族自決を求めたものだと理解していた。わが国民の多くが大西洋憲章に感激したのである。しかし今では、この憲章を支持したことを恥じている。[*7]〉

戦争への道：ドイツと日本を刺激する　(2)　日本を追い込む

日本国内では近衛文麿を肯定的に語らない本が多い。保守論客も近衛を評価しない。その理由はいくつかある。第一次近衛内閣（一九三七年六月四日から三九年一月五日）はあまりに期待外れだった。後にソビエトのスパイだったことが明らかになった尾崎秀実をブレーンに登用し、日華事変にけりがつけられる可能性のあった、ドイツ駐中国大使オスカー・トラウトマンの調停工作（トラウトマン工作）を蹴った。一九三八年一月には「爾後、国民政府は対手にせず」という声明を出し、日中の戦いの出口を見えなくした。近衛が学生時代に共産主義思想に染まっていたことも彼の評価を落とす一因となっている。

しかし、世界史的視点からの評価は若干異なっている。第三次近衛内閣（一九四一年七月十八日から十月十八日）時代の彼の戦争回避努力は、修正主義史観に立つ歴史家に評価されている。フーバーも近衛を評価する一人である。

FDR政権は日本を徹底的に敵視する外交を進めていた。ルーズベルトは「隔離演説」以来、日本をアメリカの敵国と見做した。一九三九年七月には日米通商航海条約の破棄を通告し、条約は翌四〇年一月に失効した。同年八月にはオクタン価の高い航空機燃料を、九月には屑鉄を禁輸した。一九四一年六月には石油製品そのものが許可制となり、七月には日本の在米資産を凍結した。八月には石油製品が全面禁輸となった。

このようにとどまるところを知らない経済制裁は、FDR政権が仕掛けた戦争行為そのものであったことは、現代の歴史家、特に軍関係者の間では常識になっている（これについては筆者が解説を試みた米国空軍大学のジェフリー・レコード氏の論文に詳しい〔『アメリカはいかにして日本を追い詰めたか』草思社〕）。

レコード氏は、「我が国の対日経済戦争は一九四一年の夏の終わり頃には、最高潮に達してしまっている」と分析している。[*8] そんな中にあって、日本は米国への歩み寄りの姿勢を見せた。

〈一九四〇年九月、グルー駐日大使は対日禁輸政策を実行すべき時期に至ったと伝えていたが、一九四一年に入ってからは日本との関係改善は可能であり、経済制裁はむしろ危険であると訴えていた。〉（第38章）

しかしFDR政権は東京からの報告を一顧だにせず、英国とオランダをも巻き込んで対日強硬外交をエスカレートさせた。フーバーは、こうした環境の中でも、近衛政権が対米戦争回避に積極的に動いたことを評価する。

〈八月四日、近衛首相は陸海軍両大臣と協議し、ルーズベルト大統領との直接会談の道を探ると発表した。引き続き和平の条件を探るという決定は、海軍の支持を得、陸軍も同意していた。天皇は、できるだけ早く大統領との会見に臨むよう指示した。八月八日、東京からの指示に基づいて、野村〔吉三郎〕大使はハル国務長官に対して、ルーズベルト大統領との首脳会談を正式に申し入れた。〉（第38章）

しかしFDR政権は聞く耳をもたなかった。日本を極端に嫌うスチムソン陸軍長官は、「この会談の申し込みは、我々に断固とした行動を起こさせないための目くらましである」（同前）とまで日記に書いた。これでは何のための経済制裁かわからない。日本の対中国政策を変えさせたいというFDR政権の主張が真摯なものであれば、頂上会談がその出発点になるはずであった。

野村駐米大使は近衛の指示を受けて、チャーチルとの会談（大西洋憲章構想会談）を終えて帰国したFDRと会談した（八月十七日）。八月二十八日には近衛の親書（前日付）をFDRに手交した。グルー駐日大使も首脳会談に応じるべきだと本省に建言していた（同前）。

〈私は、現在の日米関係の悪化の理由は、相互理解の欠如に起因する思い違いと相互不信にあると考えます。両国関係の悪化が、第三国〔訳注：英国、中国あるいはソビエトの外交を指しているのだろう〕の策謀に拍車をかけています。私自身、大統領にお会いして忌憚なく意見を交換したいと考えるのはそのためです。

私は、両首脳はすぐにでも会談すべきだと考えます。そして広い見地から太平洋地域全般にかかわる懸案について協議し、解決策を探るべきなのです。その他の細かな案件は首脳会談後に両国の有能な官吏に対処させればよいのです。〉

しかし首脳会談はついに実現しなかった。近衛は日本国内の政情に鑑み（対米強硬派を刺激することを恐れ）、首脳会談の要請を極秘にしたいとしていた。しかしFDR政権内部から情報が漏洩し、九月三日付の『ニューヨーク・ヘラルド・トリビューン』紙がこれを報じた（同前）。日米和解を嫌う政府高官の誰かが漏らしたのであろう。

近衛の首脳会談を願う気持ちは強かった。九月六日にグルー大使と会談し、あらためて親書を届けるよう依頼している。それを受けてグルー大使は会談の実現に向けて再び動いた。以下がグルーの本省宛ての報告書である（同前）。

〈米日関係を改善できるのは彼（近衛）だけです。彼がそれをできない場合、彼の後を襲う首相にそれができる可能性はありません。少なくとも近衛が生きている間にそんなことができる者はいないでしょう。そのため、近衛公は、彼に反対する勢力があっても、いかなる努力も惜しまず関係改善を目指すと固く決意しています。（首相は）現今の日本の国内情勢に鑑みれば、大統領との会談を一刻の遅滞もなく、できるだけ早い時期に実現したいと考えています。近衛首相は、両国間のすべての懸案は、その会談で両者が満足できる処理が可能になるとの強い信念を持っています。彼は私との会談の最後に、自らの政治生命を犠牲にし、あるいは身の危険を冒してでも日米関係の再構築をやり遂げると言明しています。〉

首脳会談を勧めたのはグルー大使だけではなかった。ロバート・クレイギー英駐日大使も本国に対して次のような公電を発していた（九月二十九・三十日。第38章）。

〈アメリカの要求が、日本人の心理をまったく斟酌（しんしゃく）していないこと、そして日本国内の政治状況を理解していないことは明白です。日本の状況は、（首脳会談を）遅らせるわけにはいかないのです。アメリカがいまのような要求を続ければ、極東問題をうまく解決できる絶好の機会をみすみす逃すことになるでしょう。私が日本に赴任してから初めて訪れた好機なのです。

アメリカ大使館の同僚も、そして私も、近衛公は、三国同盟および枢軸国との提携がもたらす危険を心から回避しようとしている、と判断しています。もちろん彼は、日本をそのような危機に導いた彼自身の責任もわかっています。日本政府の大きな方針転換を支える勢力は、米日関係を改善する明確な動き（首脳会談）が早期に起きなければ、枢軸国側の激しい怒りに直面することを理解し恐れています。（近衛）首相は、対米関係改善に動くことに彼の政治生命をかけています。そのことは天皇の支持を得ています。もし首脳会談ができず、あるいは開催のための交渉が無闇に長引くようなことがあれば、近衛もその内閣も崩壊するでしょう。

アメリカ大使館の同僚も本官も、この好機を逃すのは愚かなことだという意見で一致しています。確かに近衛の動きを警戒することは大事ですが、そうかといってその動きを冷笑するようなことがあってはなりません。いまの悪い状況を改善することはできず、停滞を生むだけです。〉

日本政府（近衛首相）も米英両駐日大使も、首脳会談の実現を願った。しかし首脳会談は叶わなかった。明らかに、会談による解決、つまり外交交渉による解決を望まず、武力衝突を望んだ勢力がＦＤＲ政権内にあった。釈明史観に立つ日本の歴史家は、こういった事実を書かない。あくまで日本が「それでも戦争を選んだ」と主張するのである。

真珠湾攻撃（１）前夜

近衛の政治生命をかけた、つまり国内での政治闘争による失脚の危険を冒してまで日米首脳会談を実現しようとした試みは潰えた。国務長官ハルは、日記に次のように書いて自己弁護を図っている。

〈（真珠湾攻撃の前の）半年間、日本政府と交渉を続けた。近衛と同政権は限定的な妥協を仄(ほの)めかすだけであった。（それは）明らかに、日本が侵略的な方針を全面的に見直す用意ができていないことを示していた。華北および内蒙古からの撤兵を拒否していた。この地域の支配には軍隊が欠かせないからである。我が国が国家防衛のためにドイツと戦うことになった場合、日本は対米宣戦布告しないと明言することを拒否した。さらに日本は、極東における経済上の特殊権益は継続されるべきだとの主張を変えなかった。〉（第38章）

ハルが、「交渉前にすべての条件をテーブルの上に晒せ、そうでなければ交渉のテーブルにはつかない」と主張していたことがわかる。そんなことは、外交交渉上あり得ない。フーバーはハルの態度を強く批判する。

〈この文章には真実がほとんど書かれていない。近衛の提案、グルーやクレイギーの公電、そして当時の世界の情勢を見れば、そのことは明らかである。いずれにせよ、近衛と会談することによって、我が国に不利になることは何一つなかったのである。〉（同前）

ＦＤＲ政権による首脳会談の拒否は、日本とは外交交渉による解決は望まないと宣言したに等しかった。日本側の、対米宥和を望む勢力はこれによって行き場を失い、近衛内閣は失脚した（一九四一年十月十八日）。このことは「それでも戦争を選んだ」のは日本ではなくアメリカであったことを示していた。フーバーは近衛の失脚を次のように記している。

〈近衛の失脚は二十世紀最大の悲劇の一つとなった。彼が日本の軍国主義者の動きを何とか牽制しようとしていたことは賞賛に値する。彼は何とか和平を実現したい

と願い、そのためには自身の命を犠牲にすることも厭わなかったのである。〉（同前）

講和を望む日本の動きや、「グルー大使そしてクレイギー大使の意見は、議会にもアメリカ国民にも知らされることはなかった。それがわかったのはずっと後のことで」（同前）あった。この文章から、FDR政権は日本の講和を望む姿勢を議会と国民には知られたくなかったことがわかる。読者もすでに気づかれていると思うが、日米戦争を回避する道が一つだけあった。参戦を拒否する八〇パーセントを超えるアメリカ国民に直接訴えることであった。FDR政権が外交交渉による解決を望んでいないことがはっきりした時点で、日本は戦争を望まないことをアメリカ世論に訴えるべきであった。

もちろん、これは後知恵の議論に過ぎないかもしれない。日本国内の強硬派の存在や三国同盟との兼ね合いを考えたとき、そうすることは難しかったのだろう。しかし、勝つ見通しのない日米戦争のリスクを冒す前に試すに値するオプションであったことは間違いない。

近衛政権の崩壊で首相は東條英機に代わった。この頃のグルー大使は、本国が外交交渉による解決に消極的なことを確信していた。このままでは日本が、負けることがわかりきった自殺行為（対米開戦）に踏み切る可能性のあることを本省に訴えるようになった。

〈在東京大使館は、我が国の多くの経済学者が主張するような事態、つまり日本は（経済制裁によって）窮乏し、経済が疲弊し、軍事大国の地位から滑り落ちるような事態が起こることは決してないと確信しております。日本人の心の機微を斟酌すれば、厳しい経済制裁によって対日戦争を回避できるという考えはきわめて危険な仮説であります。経済制裁によって日本との衝突を回避することはできないでしょう。〉（十一月三日付報告。第39章）

この報告の翌日、グルー大使は自身の日記に次のように記し、本国の対応に強い不満の念を吐露している。

〈もし米日戦争勃発という事態になったら、私の考えを訴えた公電〔訳注：右記の意見書〕を、後世の歴史家が見逃すようなことがあってはならないと思う。和平交渉が失敗すれば、日本は生きるか死ぬかの、いちかばちかの国家的な腹切りに打って出る（commiting national hara-kiri）可能性がある。日本は、いま経済制裁に苦しんでいるが、そのような制裁に遭っても決して屈しない国に変貌したいと願っている。我々のように日々日本の空気に触れている者にとっては、そうなることが「あり得る（possible）」という段階から、「そうなるだろう（probable）」という段階まできていることがよくわかる。〉（同前）

在東京大使館から、これほどに緊迫した日本の国内事情が報告されているにもかかわらず、ＦＤＲ政権はこれを一顧だにしていない。先に同政権のソビエトの国家承認の経緯を書いたが、その際にもルーズベルトは国務省の専門家の意見を聞いていない。ルーズベルトには、国務省の外交のエキスパートより自身の方が知識があり、能力があると考える愚かさがあった。

十一月二十六日、いよいよ対日「最後通牒」ハル・ノートが野村大使に手交された。筆者がここでハル・ノートを「最後通牒」と書くのは、歴史修正主義の歴史家は、ハル・ノートは形式的には曖昧さを残しているものの、実質は最後通牒であると断定しているからである。ＦＤＲ政権は最後通牒とは見做されない工夫をしていた。それでもフーバーの第40章のタイトルにははっきりと「最後通牒（the Ultimatum）」と書かれている。先に紹介したハミルトン・フィッシュ下院議員も自著の中でハル・ノートを「隠された対日最後通牒[*9]（the secret war ultimatum）」と表現している。

ハル・ノートには日本を混乱させる工夫も凝らされていた。ハル・ノートの第二部では、日本に対する要求として十項目の条件が列挙されている。その第三項は次のようなものだった。

〈日本政府は、中国及びインドシナからすべての陸軍、海軍、空軍の兵力及び警察力を引き揚げるべし。〉

ここにある「中国」という用語は曖昧であった。米国が不承認政策を続けてきた満州を含むのか、はたまた下関条約によって獲得した台湾まで含むのか。日本を混乱させるために仕掛けられた曖昧な言葉の使い方であった。

ルーズベルトは十一月二十八日の記者会見で、四カ月ぶりに日本との交渉について触れた（いかに対日交渉の模様が国民に知らされていなかったかを示している）。その会見でも、「大統領は、近衛の（首脳会談の）提案にも、東郷の提案にも、あるいは二日前のハルの一〇項目の提案（ハル・ノート）にも触れなかった」（第40章）。ここにある「東郷の提案」とは、昭和天皇の意向を受けた東郷茂徳外相の、英国クレイギー大使を通じての交渉を指している（第38章）。

フーバーが、FDR政権内に侵入した共産主義者の悪影響を問題にしていることはすでに書いた。日米交渉にも彼らが「悪さ」をしていることにフーバーは触れている。「悪さ」を仕掛けたのは、蔣介石政権の顧問として送り込まれていたオーウェン・ラティモアだった。彼は、FDR政権内にあった、日本との暫定協定を結ぶ案を潰した。

〈私（ラティモア）は、暫定協定案に対する総統（蔣介石）の強い反発について、急ぎ大統領に知らせなければならないと感じている。中国との〔編者注：「日本との」の間違いか〕間の暫定協定はいかなるものであっても、アメリカを信じる中国の気持ちを裏切ることになるだろう。アメリカに捨てられたという感情を回復するのは難しい。過去の支援実績があっても、これからの支援を増大させても、信頼の回復を図ることは難しくなる。もし日本が外交的勝利を収めることになれば、中国国民のアメリカへの信頼を持続させることはできないだろう。総統はこのように憂慮している。〉（第39章）

ラティモアがこの文書を打電した相手は、ルーズベルトの補佐官をしていたロークリン・カリーであった。彼はハーバード大学出身で、連邦準備制度委員会（FRB）の経済アナリストだった。カリーの経済分析はFDRに重用され、カリーはFDRの補佐官にまで上り詰めていた。カリーは後にソビエトのスパイであったことが明らかになっている。ラティモアは共産主義者であった。共産主義者が日米対立を煽ったことは間違いのないことだった。スチムソン陸軍長官もノックス海軍長官も、日本との暫定協定締結に抗議する文書を蔣介石から受けた。蔣にそれをさせたのはラティモアであった（同前）。

真珠湾攻撃（2）調査委員会

一九四一年十二月七日未明（ハワイ時間）、真珠湾攻撃が始まった。対日強硬外交の目的がようやく達成された。日本嫌いのスチムソン陸軍長官の日記にはその安堵感が書かれている。彼らが日本外交を通じて戦っていたのは自国の世論であったことがわかる。

〈日本が我が国を攻撃したとの報を受けた時、私の最初の感慨は、これでようやく我が国がどっちつかずの立場にいることから解放されたというものだった。（日本の真珠湾攻撃で）国民がようやく一致団結できる。〉（第41章）

スチムソンが「国民が一致団結できる」と書いた意味は、米国内で圧倒的だった不干渉の願いをようやく潰し、世論を参戦やむなしにまとめ上げたという意味である。

前節で書いたように、ＦＤＲ政権は国民に対日交渉の実態を隠していた。もちろんハル・ノートという疑似最後通牒を日本に発したことにも口を噤んでいた。しかしフーバーは、ＦＤＲ政権のそうした動きを示す情報は、細切れなものとはいえ、入手していた。だからこそ本書の冒頭に紹介したように、ルーズベルト政権が日本に対して何かやらかしたな、と感じたのである。

ＦＤＲは真珠湾攻撃の翌日（十二月八日、月曜日）の議会演説で、日本の真珠湾攻撃を激しく詰った（「恥辱の日演説」）。そのうえで、議会に対日宣戦布告の承認を求めた。議会が了承したのは言うまでもない。

国中が日本への怒りに燃えているときであっても、フーバーは冷静だった。友人ウイリアム・キャッスルに、ＦＤＲ政権が、日本に対して何をしたのか、史料を集めたいと伝える手紙を書いた。ハル・ノートの存在も、これまでに書いたグルー大使や近衛文麿の米日戦争を避ける努力の実態も、未だ詳らかではなかった時期である。それでも元大統領の政治的な勘が、ルーズベルトへの深い疑いを生じさせた。

追い詰められ、窮鼠と化した日本が何らかの軍事行動を起こすことは覚悟していたＦＤＲ政権首脳であったから、いくらかの被害があることは想定していた。アメリカが戦争する場合、その前に必ず米国人の殺害事件が起きる。米墨戦争（一八四六年）でも、米西戦争（一八九八年）でもそうだった。国民世論を戦争やむなしにまとめる

艦載機攻撃を予想した真珠湾攻撃演習（1932年2月7日）に参加した空母レキシントン
http://www.navsource.org/archives/02/02.htm

には、少しばかりの犠牲は覚悟するのがアメリカの伝統であった。

真珠湾攻撃の可能性をＦＤＲ政権が、公には認めないとしても、アメリカ海軍は可能性として考えていたことは事実である。一九三二年二月七日（日曜日）に、日本の真珠湾攻撃を想定した演習を実行しているからである。ハリー・ヤーネル提督指揮下の演習には二隻の航空母艦（レキシントン、サラトガ）と四隻の駆逐艦が使われ、見事に奇襲を成功させていた。この演習には戦艦が含まれていない。空母を使用した艦載機による奇襲を、アメリカはすでに真珠湾攻撃のおよそ十年前に予想していたのだった。

現実となった真珠湾攻撃による被害は、ＦＤＲ政権幹部の想定をはるかに超えた。

「真珠湾攻撃で、およそ三五〇〇人が死傷した。死者は二三〇〇を超えた。戦艦八隻が撃沈されるか大破し、数カ月は使用不能になった。戦艦だけでなく巡洋艦二隻、駆逐艦三隻が、失われるか大破した。また二〇〇機の航空機も破壊された」（第41章）のである。

ＦＤＲ政権は、日本の攻撃がもっと小規模なものになると考えていたに違いなかった。あまりの被害の大きさに、責任の所在を明らかにせざるを得なかった。規模の小さな形で日米戦争が始まっていたら、「ガラガラヘビ日本」に対する苛めのような外交の実態が表に出なかった可能性もあった。しかし、誰かに責任を負わせなくてはならないほどの被害になってしまったのは誤算であった。責任を負わされたのは「最後通牒」が日本に発せられていることさえ知らされていなかったハワイ防衛の責任者、ハズバンド・キンメル提督（海軍）とウォルター・ショート将軍（陸軍）であった。

真珠湾攻撃のあまりの衝撃に、議会は調査委員会を設けた。陸海軍もそれぞれ調査委員会を設置した。その過程で、国民に全く知らされていなかった対日外交の実態が表面に現われたのであった。真珠湾攻撃そのものは世紀の愚策だった。アメリカの不干渉世論を壊滅させた。しかし攻撃の戦果が、多くの調査委員会を設立させたことは歴史の皮肉であった。繰り返しになるが、もし真珠湾攻撃が失敗したり、あるいは、ハワイの両司令官が責任を取らされるほどの被害を与えるものでなければ、そうした調査委員会が設けられることもなく、ＦＤＲ政権の行なってきた陰湿な対日外交の実態が露見しないまま日米戦争となる可能性もあった。

フーバーは、『シカゴ・トリビューン』紙記者であったジョージ・モーゲンスターンが書いた『パール・ハーバー：秘密の戦争の内幕[*10]（*Pearl Harbor: The Story of the Secret War*）』を引用し、ルーズベルトを批判している（第42章）。

〈疑わしき者に有利に解釈したとしても、ワシントンの（疑われている）高官はまだ多くの疑問に答えてはいない。彼らは戦争になる可能性をよくわかっていた。それにもかかわらず、その情報を（ハワイの司令官に）伝えようとしなかった。その情報を明確に、遅滞なく、（日本の）一撃が加えられる可能性のある現場に伝えようとしなかった。

真珠湾の事件は、我が国の参戦を狙う勢力にとっては、参戦を渋る議会の束縛から解放され、戦いに消極的な国民を戦争に導くための口実となった。

真珠湾事件は、目に見える最初の日本との戦いだった。しかし（ルーズベルト）政権が仕掛けていた秘密の戦争という視点からすれば、その（日本に対する）秘密の戦争の最後の戦いであったと言える。秘密の戦争は、我が国の指導者が敵と決めた国との戦いである。どの国が敵かは、宣戦布告によって公式に敵国となるずっと前から決められていた。秘密の戦争は、敵国に仕掛けられるだけではない。プロパガンダや嘘の情報を流し、国民世論を操作しようとする。つまりアメリカ国民に対しても仕掛けられているのだ。我が国の（日本に対する経済制裁などの）外交は、実際には戦争行為と変わらないものであっても、我が国が戦争しないための方策だと言い換えられた。戦争するためには憲法の制約があるが、その制約も上手に回避した。日本に対する宣戦布告は議会が行なったが、この時点では戦争になっている状況を追認するだけの意味しかなくなっていた。〉

【注】

＊1　『文京女子大学経営論集』第八巻第一号、一一三頁。

＊2　安藤次男「アメリカ孤立主義の転換と一九三九年中立法」『立命館法学』一九九六年六月号（二四五号）。

＊3　同右。

＊4　Lynne Olson, *Those Angry Days*, Random House, 2014, p28.

＊5　The Atlantic Conference & Charter, 1941.
https://history.state.gov/milestones/1937-1945/atlantic-conf

＊6　同右。

＊7　『ルーズベルトの開戦責任』一九七頁（文庫版三三八頁）。

＊8　ジェフリー・レコード著、渡辺惣樹訳『アメリカはいかにして日本を追い詰めたか』草思社、二〇

一三年、四六—四七頁（文庫版五二頁）。

＊9　『ルーズベルトの開戦責任』二〇五頁（文庫版二四七頁）。

＊10　邦訳『真珠湾——日米開戦の真相とルーズベルトの責任』渡邉明訳、錦正社、一九九九年。

第五章　連合国首脳は何を協議したのか

前章までが、真珠湾攻撃に至るFDR政権の対ヨーロッパ外交、対日外交の分析だった。フーバーの疑いの目は、第二次世界大戦中に行なわれた首脳会談にも向けられた。彼はそのすべてについて克明に分析した。読者はこれほど詳細にすべての会談内容を分析した文献を見たことがないはずである。フーバーはそうした会談が計十八回開かれていたとしている。以下がそれらの会談の名称、開催期間、主要出席者のリストである（第2部第11編「序」）。

1　**大西洋会談**〈一九四一年八月九～十二日〉ルーズベルト大統領、チャーチル首相

2　**第一回ワシントン会談**〈一九四一年十二月二十二日～一九四二年一月十四日〉ルーズベルト大統領、チャーチル首相

3　**大西洋憲章批准会議**〈一九四二年一月〉二六カ国代表（ワシントンにて二六カ国代表が批准に集まった）

4　**第二回ワシントン会談**〈一九四二年六月十八～二十五日〉ルーズベルト大統領、

チャーチル首相

5　カサブランカ会談〈一九四三年一月十四〜二十四日〉ルーズベルト大統領、チャーチル首相、シャルル・ド・ゴール将軍（自由フランス代表）

6　第三回ワシントン会談〈一九四三年五月十二〜二十五日〉ルーズベルト大統領、チャーチル首相、宋子文（蔣介石代理）

7　第一回ケベック会談〈一九四三年八月十一〜二十四日〉ルーズベルト大統領、チャーチル首相、マッケンジー・キング首相（カナダ）、宋子文

8　第一回モスクワ会談〈一九四三年十月十九〜三十日〉コーデル・ハル国務長官、アンソニー・イーデン英外相、ソビエト外相ヴァチェスラフ・モロトフ、傅秉常（ふへいじょう）（蔣介石代理・駐ソ大使）

9　第一回カイロ会談〈一九四三年十一月二十二〜二十六日〉ルーズベルト大統領、チャーチル首相、蔣介石総統

10　テヘラン会談〈一九四三年十一月二十八日〜十二月一日〉ルーズベルト大統領、チャーチル首相、スターリン

11　第二回カイロ会談〈一九四三年十二月二〜七日〉ルーズベルト大統領、チャーチル首相

12　ダンバートン・オークス会談〈一九四四年八月二十一日〜十月七日〉連合国代表

13　第二回ケベック会談〈一九四四年九月十一〜十六日〉ルーズベルト大統領、チャーチル首相、マッケンジー・キング首相

14　第二回モスクワ会談〈一九四四年十月九〜二十日〉スターリン、チャーチル首相、アンソニー・イーデン外相、アヴェレル・ハリマン米駐ソ大使

15　マルタ会談〈一九四五年一月三十日〜二月二日〉チャーチル首相、米国代表（ルーズベルトのマルタ島着は二月二日）

16　ヤルタ会談〈一九四五年二月四〜十一日〉ルーズベルト大統領、チャーチル首相、スターリン

17　国連憲章会議〈一九四五年四月二十五日〜六月二十六日〉連合国代表（戦後の和平維持機構の憲章（国連憲章）批准が目的の会議、サンフランシスコで開催）

18　ポツダム会談〈一九四五年七月十七日〜八月二日〉トルーマン大統領、チャーチル首相、クレメント・アトリー首相（途中、選挙で与党となったアトリーがチャーチルと交代（七月二十八日））

筆者は、歴史は細部に宿ると考えている。それぞれの会議や会談が意味を持っている。しかし、ここではそのすべてを語ることはできない。『裏切られた自由』そのものに当たって理解を深めていただきたい。本書では、右記の中から『裏切られた自

由』解読のヒントとなったり、あるいは日本の運命に関わる決定がなされた会議や会談を取り上げるにとどめたい。

二回のワシントン会談　対独戦争優先の決定、原爆開発

真珠湾攻撃を受けてルーズベルトは議会に対日宣戦布告を求め、承認された。FDRとチャーチルの心配はドイツの反応だった。真珠湾攻撃は国民世論を対日戦争やむなしにまとめたものの、そこから、二人が狙っていた対独戦争へと自動的に移行できるものか心配していた。しかしそれは杞憂に終わった。

真珠湾攻撃から四日後の十二月十一日午前八時、ドイツ駐米大使館代理公使ハンス・トムセンと一等書記官フォン・ストレンペルが国務省を訪れた。国務長官は国務省欧州部長レイ・アサートンに対応させた。二人はアサートンに、同日ドイツ国内で米駐ベルリン代理公使に渡した文書の写しを手交した。「ドイツ政府は、独米両国は戦争状態にあることを確認する」と書かれていた。[*1] 公式の宣戦布告文書であった。ヒトラーが迷いに迷った末の決断だった。これこそがFDRとチャーチルが待ち望んでいたものであった。ドイツが宣戦布告した以上、アメリカ国民に対独戦争の必要性を説く必要もなくなった。

「戦争遂行の大筋についてはイギリスとの調整がすでに一九四一年二月のＡＢＣ合意の段階でできていた。真珠湾攻撃の一〇カ月も前のことである。その基本は、対ドイツおよび対日戦にアメリカが参戦する場合、戦力はまずドイツに集中するということ」（第11節第43章、注3）であった。しかしチャーチルは不安だった。アメリカがその戦力の多くを対日戦に振り向けることを恐れていた（同前）。真珠湾の被害が大きく、アメリカ国民の怒りが激しかったことを考えれば、チャーチルが不安になったのも肯ける。チャーチルはすぐにワシントンに向かった。

十二月二十日、ＦＤＲはクリスマスの準備を進める妻エレノアに、クリスマス中に賓客があり、数日ホワイトハウスで過ごすことになると伝えた。二階の一室を客室として準備すること、たくさんのシャンペン、ブランデー、ウィスキーを準備するようにとも言った[*2]。しかし客の名は明かされなかった。ファーストレディに訪問者の名を伏せるほど、チャーチルのワシントン訪問は極秘で進められた。

フーバーはこの会談（第一回ワシントン会談）で二つのことが決定されたと書いている。一つは、ワシントンに米英統合参謀本部を設置することであった。英軍幹部がワシントンに常駐することで、アメリカが対独戦争を優先させることがはっきりした。チャーチルの心配はこれで解消された。マーシャル（参謀総長）やスターク（海軍作戦部長）の言葉もチャーチルを安心させた。

〈日本との戦いは始まったが、我々はドイツが主敵だと見なす考えに変わりはない。まずドイツ戦に勝利することが目標になる。ドイツが敗れれば、イタリアも日本もそれに続いて白旗を上げる。〉（第11節第43章、注4）

二つ目の決定事項は、大西洋憲章を公式に戦争目的（〝錦の御旗〟）とすることであった。先に書いたように、チャーチルは大英帝国の国益に反して大西洋憲章に署名した。イギリスの戦争動機は大英帝国の維持にあるのではないか、イギリスの動機は不純ではないかと疑うアメリカ世論に配慮したからだった。そしてまた、世界各国に連合国の「崇高な」戦争目的をアピールするためであった。大西洋憲章は、ソビエトを連合国の一員に加えることの矛盾を覆い隠す材料にもなっていた（一九四一年九月二十四日、ソビエトは、連合国がロンドンに集まった際に同憲章の遵守をすでに受け入れていた）。[*3]

第二回のワシントン会談は米英にとって戦況の芳しくない時期に開催され（一九四二年六月十八～二十五日）、特にソビエトが要求するフランスでの戦いについて検討された。東部戦線で攻勢を続けるドイツ軍の勢力を削ぐために、ドイツ占領下のフランス北部で戦いを始めてほしい（第二戦線構築要求）というのが、スターリンの要求だった。チャーチルはドイツへの侵攻は地中海方面から開始すべきだと考えていただけに結論は出ていない。ただ北アフリカ侵攻作戦（トーチ作戦）はここで決定された。

公式会議終了後に、チャーチルはハイドパークにあるルーズベルトの私邸に移った。ここで二人は原爆開発について協議した（このことはルーズベルトの死〈一九四五年四月〉の四カ月後まで秘密にされていた）。これについて『裏切られた自由』は、チャーチルの著作（*The Hinge of Fate*）を引用している（第11編第44章、注14）。

〈ハイドパークに移った時に、この話題（原子爆弾）を持ち出した。私（チャーチル）はこの件についてのメモを持っていた。しかし、この話題は翌日（二十日）に持ち越された。〉

〈私は大統領に、（原子爆弾という用語を使わない）曖昧な表現で、科学者たちから、開発に大きな進捗があり、この戦争が終わる前には開発に成功する見込みのあることを聞いていると話した。大統領も私も、これ（核爆弾の開発）について傍観しているわけにはいかなかった。我々はドイツが重水の確保に努めていることを知っていた〔訳注：重水は中性子の減速材に使用される〕。重水という用語は不吉な響きがあった。（私に届く）秘密文書にしばしば出てくるようになっていた。

私は、（このような状況に鑑みて）それぞれが持っている情報を共有し、対等のパートナーとして開発に臨むべきことを強調した。どこにその研究施設を作るべきかが検討された。私は、我が国の科学者を信頼していた。彼らの開発作業が進捗していることに自信があった。それを大統領に伝えた。〉

カサブランカ会談　無条件降伏要求

カサブランカ会談は戦況が連合国に優位に傾いた時期の開催だった。前年一九四二年の十一月、ドイツ軍はスターリングラード（現ヴォルゴグラード）の戦いに敗れていた。モスクワへの侵攻は難しくなり、短期にソビエトを叩くというヒトラーの思惑は外れていた。会談にはスターリンは参加していない。未だドイツとの戦いが続いており、軍指導者としてモスクワを離れることができなかった。スターリンのいない中でも軍事作戦が検討された。

〈この会談では、「連合国の戦力はUボートへの対応に力点を置く」ことが決められた。また、次の本格攻勢は、シチリア島上陸から始まるイタリア侵攻であることも決められた。

（スターリンの要求していたフランスでの）第二戦線構築については、一九四三年八月に、もし可能ならば（傍点著者フーバー）、限定的な作戦を実施することが決められた。それでも、ドイツ軍が十分に弱体化した場合に備えて、（いつでも作戦可能になるように）上陸部隊をイギリスに集めた。この会談の結果は、ルーズベルトの了解を得て、スターリンに伝えられた（一九四三年二月九日）。〉（第11編第46章、注4）

カサブランカ会談の公式声明は次のようなものだった。

〈この十日間にわたって参加者によって熱心な議論が行なわれた。関係者会議は日に二度ないし三度開かれ、その進捗状況は適宜、大統領と首相に伝えられた。世界全体の戦況が各方面ごとに検討された。すべての戦力は入念に検討され、各地でいっそう激しくなる海、陸、空の戦いの準備を進めた。〉（一九四三年一月二十六日。同前、注7）

会談終了後（二十四日）、FDRとチャーチルは記者会見に臨んだ。FDRはこのとき、チャーチルと事前に打ち合わせをしていなかった発言をした。「（私とチャーチル首相は）ドイツ、日本およびイタリアには無条件降伏を要求することを決定した」（同前、注9）と述べたのである。これにチャーチルは驚いたが、追認した。

ルーズベルトのこの発言は、その後の戦いのあり方に深刻な影響をもたらした。ドイツ国内には、少なくない数の反ナチス、反ヒトラー勢力が存在していた。無条件降伏要求で、そうした勢力の反ヒトラー活動が難しくなったのである。第一次世界大戦では、降伏（休戦）決定にあたって、ウィルソン大統領の十四カ条原則に基づく公平な戦後処理を期待したからこそ、和議のつもりで休戦に応じた。無条件降伏ではなかった。それにもかかわらず、ドイツ国民は多くの領土を失い、巨額の賠償金を強いられた。今次の戦いでは最初から無条件降伏を要求されたのである。反ヒトラー勢力が動きが取れなくなったのも当然だった。

　無条件降伏要求は講和を探る日本の動きの障害にもなった。よく知られていることだが、日本は一九四五年七月にはスイスのバーゼルを舞台に講和条件を探っている。北村孝治郎ＢＩＳ理事と吉村侃（かん）ＢＩＳ為替部長が、一九四五年七月四日から八月初旬まで一カ月以上にわたって、同地に駐在していた米国陸軍戦略局（ＯＳＳ）のアレン・ダレス（後のＣＩＡ長官）と交渉を続けた。日本の条件は皇室の継続であったが、無条件降伏要求が足枷となった。ちなみに、ＢＩＳは国際決済銀行の略である。ＢＩＳは「中央銀行の中央銀行」として設立された。この組織には治外法権的性格を与えられていたため、ＢＩＳの日本人職員は幅広い自由度を持っていた。

　日本陸軍は本土決戦が避けられないと見た一九四四年十一月から、長野県松代の地下に大本営を築く工事を始めた。陸軍の強硬論に抗するには、ルーズベルトの無条件降伏要求が邪魔になった。降伏後のありようがわからない以上、軍が抵抗するのは当然と言えば当然だった。

後日会議の報告を受けたスターリンも、無条件降伏要求には不満だった。「降伏条件を明らかにしておけば、仮にその条件がどれほど厳しいものであっても、ドイツ国民は、何を覚悟しなくてはならないかをはっきりと認識できる。スターリン元帥は、そのほうがドイツの降伏を早めるのではないかとの意見で」（第46章、注19）あった。アメリカ国内でも疑問の声が上がった。フーバーは、元『ニューヨーク・タイムズ』紙編集者のハンソン・ボールドウィンの言葉を引用している（同前、注24）。

〈（無条件降伏要求は）おそらく、この戦争における最大の失敗となるだろう。先の大戦では、ウィルソン大統領は、ドイツ皇帝および軍国主義的ユンカー層（地主貴族層）とドイツ一般国民の間にははっきりと違いがあることを示した。今次の戦いでは、スターリンはヒトラーおよびナチスと一般国民との間に違いがあるとした。ドイツ軍部の間にも前者との溝があるとしていた。こうした溝に楔（くさび）を打ち込む、つまり支配する者と、される者を離反させる機会を見逃していない。しかしその機会は、ルーズベルトとチャーチル（の無条件降伏要求）によって失われてしまった。

無条件降伏要求は、無条件の抵抗を生む。反ヒトラー勢力の意志を削ぐ。その結果、この戦争は長引くことになろう。そして死ななくてもよい犠牲者を生むだろう。和平をむしろ避けようという動きの助長につながるだろう。〉（傍点渡辺）

実際、ナチスドイツは国民に戦いの継続を求める際に無条件降伏要求を理由にした。前述のアレン・ダレスは次のように書いている（同前、注29）。

〈（ドイツ宣伝相の）ゲッベルスは、無条件降伏要求は、「完全なる隷属」そのものであると訴えた。ドイツ国民に、無条件降伏を受け入れたら奴隷状態になると思わせることに成功した。ゲッベルスやボルマン〔訳注：Martin Bormann ヒトラー総統の秘書〕らは、無条件降伏要求への反発を利用して、まったく無益な戦いを何カ月にもわたって引き延ばすことに成功した。〉

釈明史観に立つ書は、ルーズベルトとチャーチルの戦争指導を是とする。それだけに彼らの犯したミスを書かない。カサブランカ会談での唐突かつ軍事専門家の意見を聞かずになされた無条件降伏要求の愚を書く歴史書は少ない。

カイロ・テヘラン会談（1）第一回カイロ会談

フーバーは、カイロ・テヘラン会談を重視している。第51章から第59章（第2部第13編）までがその分析に充てられていることから、それがわかる。戦況はこの一年ほど前から連合国側に優位に進んでいた。そのため議題は戦後の枠組み構想に移っていた。フーバーは、戦後のありようの骨格がカイロとテヘランで決められたと考えている。だからこそ、その分析には力を入れた。しかし会談の内容は長期にわたって秘匿された。

〈カイロ・テヘラン会談でどのような政治的合意や約束がなされたのかを知ることは簡単ではなく、歴史家を悩ませてきた。会談で発表されたコミュニケや公式発表あるいは声明は、当然のことかもしれないが、制限されたものであった。実際に何が話し合われたのかを知るには時間が必要であった。チャーチルやルーズベルトの演説からその内容の一部がわかることもあったが、内容の多くは、会議の出席者が著した書物や彼らの言葉を通じて明らかになったのである。また、当時の資料を閲覧できた者の研究によってわかってきたこともあるし、状況証拠やその後に起きた出来事を勘案することでその輪郭を現わしてくるものもあった。〉（第51章、注3）

たとえば、公式記録（一九六一年公開）は二十七万語に上る膨大なものであるが、「国務省の記録から、第一回カイロ会談では、ルーズベルトとチャーチルは五回、ルーズベルトと蔣介石は三回会っていることがわかっている。しかし、（一九六一年の）公式記録では、『そうした記録が見つからない（no record can be found）』」のである（第51章）。

フーバーは、おそらく何らかの意図を持って公式記録から削除された部分を、出席者の回顧録などを使って埋めていった。ジグソーパズルの欠片を丹念に探し出した。

第一回カイロ会談は、テヘランでの三巨頭会談に先立ち、エジプト・カイロでFDRとチャーチルが協議したものであり、それに蔣介石が加わった。先に書いたように、ドイツとの戦いが始まると、チャーチルはすぐにワシントンに飛び、今次の戦いの主敵はドイツであることを確認した。カイロ会談の開かれた時期（一九四三年十一月二十二日から二十六日）には、英国の敗北の可能性はもはやなかっただけに、FDRはアジアでの対日戦争にも注意を向けるようになっていた。それが蔣を参加させた理由だった。かなりの時間がルーズベルト・蔣介石会談に割かれ、軍関係者の間でも複数の協議があった。公式声明は十二月一日に出た（第52章）。

〈対日戦争計画については、いくつかの作戦計画で合意を見た。連合国三国（米英

中）は、日本に対して陸海空から容赦ない圧力をかける方針で一致した。日本に対する圧力はすでに大きくなっている。〉

〈また日本が中国から盗んだ（stolen from the Chinese）満州、台湾、澎湖（ほうこ）諸島は、中華民国に返還されなければならない。それだけではなく、日本は暴力と欲望にまかせて獲得した領土から放逐されなくてはならない。三国は、奴隷状態に置かれている朝鮮の人々を憂い、時機を見た上で、朝鮮は自由となり独立すべきであると考える。〉（傍点渡辺）

この声明は、歴史的事実や現実の状況を全く無視した内容である。台湾、澎湖諸島は下関条約によって日本が領土化したものである。これを盗んだと表現することは事実に反する。下関条約で李鴻章の顧問についたのは、ジョン・フォスター元米国国務長官である。また、朝鮮は一九一〇年に合法的な手続きを経て併合したものであり、その過程でアメリカは日本を後押しする外交を繰り広げた（この経緯は拙著『朝鮮開国と日清戦争』〈草思社〉で詳述した）。

日本は朝鮮のインフラ整備に巨額の資金を注ぎ込み、朝鮮では人口も増えた。朝鮮国内の教育制度も整えている。一九二四年には京城帝国大学を設立し、朝鮮の一般人高等教育に尽力していた。京城帝国大学は日本が六番目に設立した帝国大学であり、大阪帝国大学（一九三一年）、名古屋帝国大学（一九三九年）に先んじていた。米英両国は植民地の選ばれた若者を自国の大学で教育したが、自国の最高教育機関に匹敵する大学を植民地内に設立などしてはいない。日本の朝鮮統治が朝鮮の人々を奴隷状態に置いているとする主張は事実と異なる。日本は朝鮮を西洋諸国が定義するような植民地と見做していなかったことは明らかである。

ルーズベルト外交を是とする釈明史観においては、カイロ会談の声明をも当然に是と見做す。したがって、日本の朝鮮統治は朝鮮の人々を奴隷化しているものでなくてはならない。

朝鮮について、フーバーは第3部「ケーススタディ」の中で詳細に分析している。その冒頭で次のように書いている（第3部第3編「序」）。

〈私（フーバー）が初めてこの国（朝鮮）を訪れたのは一九〇九年のことである。日本の資本家に依頼され、技術者として助言するためであった。当時の朝鮮の状況には心が痛んだ。人々は栄養不足だった。身に着けるものも少なく、家屋も家具も粗末だった。衛生状態も悪く、汚穢（おわい）が国全体を覆っていた。悪路ばかりで、通信手段もほとんどなく、教育施設もなかった。山にはほとんど木がなかった。盗賊が跋扈（ばっこ）し、秩序はなかった。

日本の支配による三十五年間で、朝鮮の生活は革命的に改善した（revolutionized）。日本はまず最も重要な、秩序を持ち込んだ。港湾施設、鉄道、通信施設、公共施設そして民家も改良された。衛生状況もよくなり、農業もよりよい耕作方法が導入された。北部朝鮮には大型の肥料工場が建設され、その結果、人々の食糧事情はそれなりのレベルに到達した。日本は、禿げ山に植林した。教育を一般に広げ、国民の技能を上げた。汚れた衣服はしだいに明るい色の清潔なものに替わっていった。

朝鮮人は、日本人に比較すれば、管理能力や経営の能力は劣っていた。このことが理由か、あるいはもっと別な理由があったのか確かではないが、経済や政治の上級ポストは日本人が占めた。一九四八年、ようやく自治政府ができた。しかし朝鮮人はその準備がほとんどできていなかった。〉

現在の日韓関係はきわめて剣呑である。事実に基づかない、いわゆる「朝鮮人慰安婦強制連行」という韓国の主張は、両国の関係を決して明るいものにはしない。日本政府がどれほど韓国に宥和的な外交を展開しても、日本国民は拒否反応を示す。韓国が、事実でないことを主張し、それを海外でのプロパガンダ工作に使う態度を許さない。多くの日本人は、韓国の嘘を知っているはずのアメリカが、彼らの活動をなぜ容認するのか訝しむ。その起源は、「カイロ宣言の嘘」にある。アメリカが、ルーズベルト外交は絶対的に正しいとし、修正主義歴史観を頭から否定する釈明史観に拘泥しつづけるかぎり、日韓の和解はない。その意味で、日韓両国はともに不幸である。釈明史観に基づく歴史観は罪深いのである。

カイロ・テヘラン会談（2）テヘラン会談前夜

ルーズベルトはカイロでの会談を終えると、テヘランに向かった。武器貸与法に基づくソビエトへの支援ルートはいくつかあったが、イランを経由するルートは「ペルシャ回廊（Persian Corridor）」と称されるほどに重要であった。テヘランは英国とソビエト軍の管理が厳重で、それなりに安全な都市であった。それがテヘランが首脳会談開催地に選ばれた理由の一つであった。

ルーズベルトの心は弾んでいた。「アンクル・ジョー（スターリン）」との初めての会談が実現するのである。テヘラン会談（一九四三年十一月二十八日〜十二月一日）に対するフーバーの考察について述べる前に、『裏切られた自由』には収録されていない二つの重要な事実を書いておきたい。それが読者のテヘラン会談理解に役立つと考えるからだ。

第一点は、当時のＦＤＲの健康状態である。フーバーが『裏切られた自由』を執筆した時点では明らかになっていなかった（FDRの側近が隠し続けた）事実が、時を経て次第に明らかになってきた。一九四三年半ばからFDRの体調が急速に悪化していることが、FDRの愛人の一人とされているマーガレット・サックリーの残した日記（一九九五年公開）で明らかになっている。[*4] その日記から、FDRの健康状態の極端な悪化が確実であることがわかったのである。

サックリーの名前が出たので、ついでに書いておくと、FDRには五人の愛人がいたとされる。ルーシー・マーサー（妻エレノアの秘書）、マーガレット・サックリー（遠い姻戚関係）、スウェーデン王室出身のノルウェー王女マーサ（マッタ）、ドロシー・シフ（『ニューヨーク・ポスト』紙発行人）、マルガリート・ルハンド（FDR秘書）である。[*5]

FDRにはこの年の春頃から「意図振戦」が見られていた。「意図振戦」とは、何か動作をしようとするときに小刻みに身体が震える症状である。このことはFDRの脳に何らかの障害があることを示していた。腹部にも痛みがあった。『ルーズベルトの死の秘密』（草思社）を著したスティーヴン・ロマゾウ（神経科医）、エリック・フェットマン両氏は、ルーズベルトの左眉上の皮膚癌（悪性黒色腫）が脳に転移していたと推察している。FDRは、テヘランに入ってからも病の進行が見られた。『ルーズベルトの死の秘密』の次の記述からそれがわかる。

〈テヘランでＦＤＲが見せた症状は、もはや笑い事では済まないものだった。テヘランでＦＤＲ、チャーチル、スターリンの連合国の三巨頭が初めて一堂に会した。十一月二十八日にはＦＤＲ主催の夕食会があった。料理はステーキとベイクドポテトだった。ＦＤＲとスターリンは、バルト海のアクセス権について協議していた。通訳のチャールズ・ボーレンによれば、このときＦＤＲは突然顔が真っ青になり、額から大粒の汗が噴き出した。彼は震える手でその汗をぬぐった。これには誰もが驚いた。ハリー・ホプキンスはあわてて車椅子のＦＤＲを部屋で休ませようと出て行った。〉（一四三頁）

この記述からも明らかなように、万全とは言えない体調を押してＦＤＲは地球を半周しスターリンに会いにやって来た。どれほどスターリンに会うことを楽しみにしていたかがわかる。カイロからテヘランまでは空の旅となった。大統領専用機（ＤＣ４）による八時間の旅だったが、同行の主治医らは高高度での飛行による体調悪化を心配し、気が気ではなかった。一九四三年十一月二十七日午後三時にテヘランに到着したＦＤＲはすぐに米国公使館に入った。

〈アメリカ大統領は、車椅子から車に、車から船に、目的地に到着すれば飛行機に抱え上げて乗せられた。世界をおよそ半周する目的は、ただＪ・Ｖ・スターリンと会うためなのである。（辛い移動を強いられる）大統領を見て、苛立ちを覚えざるを得なかった。〉（テヘラン会談の出席者の一人ジョン・Ｒ・ディーン将軍。第２部第13編第53章）

第二点は、翌十一月二十八日のＦＤＲの奇妙な動きである。その日の模様はアメリカ中央情報局（ＣＩＡ）発行の専門誌に掲載された論文[*6]に詳しい。

アメリカ公使館をＦＤＲ一行が出発したのは午後三時頃である。先導の車やオートバイに挟まれてＦＤＲの車はソビエト大使館に向かった。ソビエト大使館と英国大使館は隣接していたが、アメリカ公使館とはおよそ一マイル（一・六キロメートル）離れていた。三時十五分、一行はソビエト大使館に到着した。

しかし、この厳重にガードされたアメリカ代表団の中にＦＤＲはいなかった。大統領車に乗っていたのは影武者（ロバート・ホルムズ）だった。ＦＤＲ本人は別の道を抜け、ソビエト大使館に裏口から入っていた。これほどの警戒が必要だったのは、ソビエト情報機関ＮＫＶＤ（内務人民委員部）から、パラシュート降下したドイツの暗殺部隊三十八人がテヘランに潜入したこと、その多くを捕らえたが、まだ六人の行方が知れないことが伝えられていたからだった。

ＦＤＲは当初からスターリンとできるだけ親密な時間を過ごしたかった。それにはテヘランのソビエト大使館に滞在するのがよいと考えていた。しかしチャーチルの気分を害してはならなかった。チャーチルはソビエト大使館横の英国大使館に滞在することを勧めていた。ＦＤＲはそれを断っていた。

ＦＤＲはスターリンとチャーチルの関係が冷えているのを知っていた。冷えた理由は、スターリンのフランス北岸からの第二戦線構築要求をチャーチルが引き延ばし続けていたからだった。チャーチルは、英米軍は地中海からバルカン半島を抜けてベルリンに迫るべきだと考えていた。赤軍の西進前に英米軍がこの地域を占領し、そうした地域の共産化を防ぐことができるからだった。スターリンは、チャーチルが北フランスに第二戦線の構築を渋っていることに憤っていた。

それを知っていたＦＤＲは、スターリンとできるだけ二人だけで話したいと考えた。ＦＤＲはカイロに到着するとすぐに行動を開始した。スターリンに次のような親電を打った。

〈我々三人が会談のために移動するのは不必要な危険を冒すことになるとのアドバイスを受けました。会議場から離れたところに宿泊するのは危険とのことです。ど

こを宿所にしたらいいでしょう。〉

ソビエト大使館を宿所にしたいことを暗に伝えたのである。おそらく、阿吽の呼吸で、スターリンはNKVDに、ドイツによる暗殺計画を創作させたのだろう（戦後、実際に計画があったことが判明している）。いずれにせよ、アメリカ公使館からの移動は危険という空気を醸成し、FDRは密かにソビエト大使館に入った。そしてそのままそこを宿所にしたのだった。

CIA論文では、大使館内の会話は完璧に盗聴されており、FDRの判断がいかに安全保障上危険で愚かだったかを論じている。

FDRがソビエト大使館に到着した十五分後にスターリンは大使館の玄関に現われた。彼の宿所は大使館の敷地内の別棟にあった。FDRはスターリンと、チャーチル抜きの会談を三度行なっているが、これがその最初だった。

スターリンはこの会談でFDRを大いに喜ばせた。戦いが終わり次第、ロシア国内に信教の自由、私有財産制度そしてより一層の民主主義的制度を導入すると述べたのである。これは驚くべき妥協だった。[*7]

FDRに共産主義に対する常識的な知識があれば、あるいは彼がソビエト国内の情勢に関する国務省ソビエト専門家の報告書を読んでいれば、それがどれほどの大風呂

テヘランでのルーズベルトとスターリン。カイロ・テヘラン会談から帰国したルーズベルトはラジオ放送でアメリカ国民に「スターリン元帥やロシアの人々とはうまくやっていけると思っている」「この数週間で新しい歴史が作られた。……全人類にとって良き歴史である」と語った。

敷であるかはすぐにわかったはずだった。喜んだルーズベルトは、ポーランドとの国境線引きについてソビエトの自由裁量を認め、バルト諸国を支配（併合）することを容認した。そうした国々の人々の意思をすぐには斟酌しなくてもよい、そのうちやればよい（some day）と述べたのである。

　CIA論文は、「（これに）アンクル・ジョー（スターリン）は、わかった（understood）と答えた」と書いている。[*8]

　筆者自身、右に書いた会話が本当になされたのか、信じられない気持ちである。しかしCIAの発行する専門誌に寄稿された論文だけに信憑性は高い。ここでバルト諸国やポーランドなどの東ヨーロッパ諸国の共産化が容認されたのである。もちろんＦＤＲが、スターリンの戦後の民主化の約束を本気で信じていたとすれば、この会話に（道義的な）問題はない。しかし、ソビエトのそれまでの行状をしっかりと観察していれば、実現性のない空約束であることはすぐにわかる。専門家の意見を顧みず、勘だけで政治ができると過信するＦＤＲの愚かさを示している。

またこの会話は、ＦＤＲとスターリンが、あの大西洋憲章の精神をはなから守る気がなかったことも示している。テヘラン会談の内容は次節で概説するが、二十八日の二人だけの最初の短い会談（会話）で、東欧の戦後世界のあり方が決まった。フーバーがこのＣＩＡ論文を読むことができなかったのは実に残念なことであった。

カイロ・テヘラン会談（3）テヘラン会談

テヘラン会談で何が話されたのか、その全貌はわかりにくい。十二月一日に発表された公式声明は、「アメリカ合衆国大統領、大英帝国首相、ソビエト首相は、連合国の一員であるイランの首都において四日間にわたり（今後の）外交政策を協議し、共通の外交目標を決定した。連合国は戦争遂行において、およびその後に訪れる和平の構築において協力して対処することを確認した」で始まり、「我々の友好的な協議を通じて、世界の人々が、暴君から解放され、各自の願いや理念に則って自由に生きることができる日が来ることは間違いないと自信を持って言える。我々は希望と決意を持ってここに集まった。そして（会談を終え）いままた別れることになるが、その友情、（協調の）精神、（戦いの）目的は変わらないのである」で終わっていた（第2部第13編第53章、注3）。

戦争遂行計画を声明で具体的に述べるわけにはいかない。だが、重要な決断がなされていた。スターリンの望んでいたフランス北岸からの上陸計画が遂に決定された。これが後のノルマンディー上陸作戦（一九四四年六月六日）である。また南フランスへの侵攻も決まった。これによってチャーチルが主張していたバルカン半島ルートを経由したベルリン侵攻計画は潰えた。ソビエト赤軍がバルカン半島に先に入ることを容認したということであり、場合によっては、ドイツ全体を赤軍が米英連合軍に先んじて占領する可能性が生まれた。

チャーチルは、FDRとスターリンに押し切られてしまったのである。この決定には米軍幹部も首をかしげた。フーバーは、マーク・クラーク将軍（イタリア侵攻作戦指揮官）の言葉を引用している（第53章、注9）。

〈欧米諸国とソビエトとの関係が大きく変わってしまう作戦の検討は、ソビエトに有利な結果となってしまった。もっと我々に有利な展開が可能なはずであった。私のレベルを超えた、より高いレベルで決定されたものであった。しかし（クラーク将軍が指揮する米国）第五軍を分散させない作戦を展開していれば何ができたかは、軍事的視点から明白である。これは私だけの考えではなく、他の軍事関係者も同様の意見である。

南フランスでの作戦のために（第五軍を）分散させ、イタリア方面での作戦の展開を弱めることがなければ、バルカン半島へ軍を進めることができた。そうしなかったのは政治的に見れば大いなる失策であった。三国首脳会談でスターリンは軍事的狙いだけではなく政治的な目標もしっかりと持っていた。彼には我々の軍をバルカン半島には入れないという考えがあった。バルカン半島には赤軍を侵攻させると決めていた。〉

フランスの北と南への侵攻を決めたことで、バルカン半島の共産化は確実となった。戦後の東欧の姿はテヘランで決まったのである。他にも公にされなかった秘密協定があった。チャーチルは、自身の招待を蹴ってソビエト大使館に宿泊を決め、スターリンと仲睦まじい姿を見せるルーズベルトに落胆した。そしてチャーチルはどこかの場面で、二つの重要な秘密の決定に同意した。一つはソビエトに隣接する国々の共産化であり、もう一点はポーランドに親ソ政権を作ることの容認だった。連合軍の戦いの目的は大西洋憲章に合致する戦後世界の構築のはずだった。しかし秘密合意事項が露見すれば、それが嘘であることが公になる。あくまで秘密にしなくてはならなかった。秘密合意の存在が疑われたのは、会談後のルーズベルトやチャーチルの発言に明らかな変化があったからだった。フーバーは一九四四年二月二十二日のチャーチルの議会演説に注目している。

〈ロシアが将来の西方からの攻撃に対して安全保障を求めるのは当然のことである。我々はロシアがそれを確実にするために何でもすることになる。ロシアの軍事増強を認めることもそうであるし、国際連合による（ロシアの安全保障を求める動きの）承認あるいは同意といったものが必要である。ロシアが西の国境を安全にしたいと願うのは理解できるし、また当然なことだ。〉（第57章、注6）

右記の演説は、ロシアによる隣国の共産化の容認があったことを示唆するものだった。さらにチャーチルは、八月二日の議会演説でポーランドに親ソ政権を作ることにも理解を示した。

〈彼ら（ソビエト）は、ポーランドが親ソ的な友好国になることを願った。彼らの考えは理解できる。ルーマニアはそうでなくてはならないし、ブルガリアもそうだろう。〉（同前、注7）

FDRもテヘランから戻ると、メディアから何らかの秘密協定があったことを疑われた。しかし、彼は真っ向からそれを否定し続けた。

〈テヘランから帰国後、私は公式声明として、いかなる秘密協定も結んでいないことを言明した。私の誠実な態度にもかかわらず、外交のイロハを知らない者が、秘密協定があるのではないかと言い続けている。彼らは外交の本質に疎いのであろう。〉（一九四四年十月二十一日。第57章、注5）

それにしてもなぜ、大西洋憲章の精神をこれほどまでに毀損する密約を結んだのだろうか。憲章にはアメリカ国民に十字軍的精神を鼓舞する目的があった（FDRやチャーチルが真にその精神に沿った戦後世界を希求していたかは、きわめて疑問である）。秘密合意が露見すれば強い批判を浴びる。これほどの政治的リスクを冒してまでFDRがスターリンに媚びたのは、戦後の国際機構（後の国際連合）構想にソビエトを何としても参加させたかったからであった。

FDRが国際機構設置についてスターリンと話し合ったのは、十一月二十九日である（第54章、注11）。

〈大統領は、（国際機構の）執行委員会ともいうべき組織が設置され、その構成国はソビエト、合衆国、イギリスおよび中国であり、その他にヨーロッパから二カ国、南米から一カ国、近東から一カ国、極東から一カ国、大英帝国領から一カ国を考えていると述べた。この構成についてチャーチル氏は不満であり、その理由は大英帝国の投票権が二つしかないことである、と（スターリンに）語った。執行機関が議論するのは非軍事的な分野、たとえば農業、食糧問題、保健あるいは経済に関わる事項である。この国際機構は各地で会合を開くことになる。

スターリン元帥は、機構の決定は世界の国々を拘束するものであるか質問した。〉

FDRとスターリンのやりとりはしばらく続いたが、スターリンは最終的に「和平維持のための機構の設置に同意」した（同前、注13）。しかし、機構設立の見返りに多数の民族がソビエトの支配下に入ることが容認された。多くの民族の自由が犠牲にされて国際機関（国際連合）が出来上がったのである。このアイロニーについて、フーバーは第56章「テヘラン会談の二つの約束が招来した一五カ国の自由の破壊」で詳述している。

第二回モスクワ会談

日本の歴史書がこの会談に触れることはほとんどない。しかし、ここでも戦後世界の枠組みを決める重大な事項が協議された。この頃の戦況は連合軍の攻勢が続き、ソビエト赤軍は東プロイセンに、また英米連合軍はドイツ領内に侵攻していた。FDRは自身の四選を目指す選挙戦のために会談に参加できず、アヴェレル・ハリマン駐ソ大使をオブザーバーとして参加させた。

この会談で重要なのは、バルカン半島の国々のソビエト支配が完全に容認されたことである。チャーチルはテヘラン会談を受けて、バルカン半島の共産化は避けられないと覚悟した。それでもそこに少しでも自国の影響力を残したかった。チャーチル最後の抵抗であった。これに関する協議があったのは十月九日のことである。チャーチルは自著（*Triumph and Tragedy*）の中で次のように書いている（第58章、注28）。

〈この日の午後十時、クレムリンにおいて最初の重要な会談があった。参加者は私（チャーチル）とスターリン、モロトフ、イーデン、ハリマン、そして通訳のバース少佐（英国側）とパブロフ（ソビエト側）だけであった。

私は頃合いを見て、バルカン諸国の問題について協議してしまおう、と発言した。「貴国の軍隊はすでにルーマニアとブルガリアに入っているが、我が国にも利権があり、英国人も暮らしている。小さな問題に拘泥しないで処理したい。まず提案したいのはルーマニアに対する貴国の影響力は九〇とし、かわりにギリシャに対する我が国の影響力を九〇としたい。またユーゴスラビアについては五分五分としたい」というのが私の示した合意案であった。この発言がロシア語に訳されている間に、私は紙の半分を使って次のように書きつけた……

ルーマニア　　ロシア　九〇％　　他国　一〇％
ギリシャ　　英国　九〇％（ただし米国の同意要）　　ロシア　一〇％
ユーゴスラビア　　五〇―五〇％
ハンガリー　　五〇―五〇％
ブルガリア　　ロシア　七五％　　他国　二五％

こう書きつけた紙片をテーブル越しにスターリンに押しやった。この時彼は通訳を通じてその内容を聞いていた。しばらく沈黙した後、スターリンは青鉛筆を使って大きなチェックマークを付け紙片を私に戻した。これで決まりだった。長い沈黙があったが、その間マークの付けられた紙片はテーブルの中央に置かれたままであった。

私は沈黙を破って、「こんなふうにあっさりと数百万の人々の運命が決まるのは皮肉なものだ。この紙は焼いてしまいましょう」と言うと、スターリンは、「いや、あなたが持っていてくれてかまわない」と答えたのである。〉

スターリンはこの数字から何を理解したのだろうか。その後の歴史から推測するしかないが、ロシアの影響力を五〇パーセント以上認めた国々については、完全に共産化してもチャーチルは何も言わないだろうこと、チャーチルが固執しているのはギリシャだけだろうことを理解したのである。

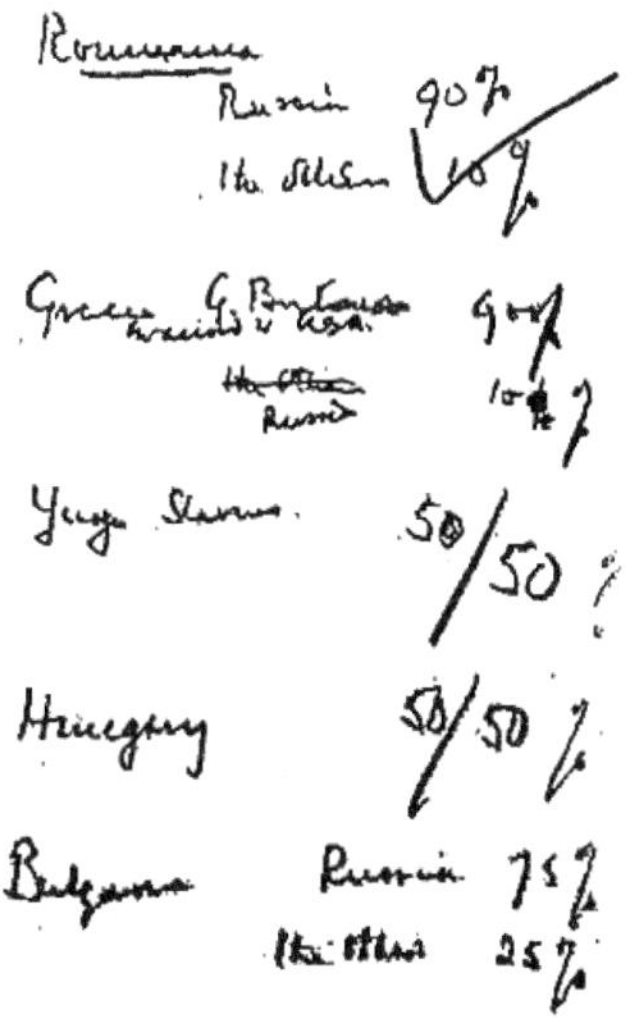

チャーチルがスターリンに示したメモ

戦後ギリシャでは共産化の激しい動きはあった。しかしソビエトの支援は中途半端に終わっている。一般的には、ギリシャの共産化はトルーマン・ドクトリン（封じ込め政策）の発表（一九四七年三月）

によって防がれたと説明されているが、東欧の共産化と引き換えにギリシャの共産化を諦めることが、この夜のチャーチル・スターリン会談で決定していたのである。

ヤルタ会談（1）FDR、死に至る病

テヘラン会談に続いて三巨頭が顔を合わせたのはヤルタ会談であった。ルーズベルトは前年（一九四四年）の十一月の選挙で四選を決めていた。フーバーはヤルタ会談をテヘラン会談と同様、重要視しているだけに第63章から第71章（第2部第15編）を充てている。

『裏切られた自由』には書かれていないが、この時期のFDRの病状は極度に悪化していた。一九四五年一月二十日、FDRはホワイトハウスのバルコニーで就任演説をした。六十三歳の誕生日（一月三十日）を十日後に控えた冬の寒い日であった。健康状態が懸念されている中での四選であり、FDRは自身がこれからの四年間の職務に耐えられるところを国民に見せなくてはならなかった。彼はいつもどおり息子のジェームズに支えられて立ち上がり、鉄製の添え木で支えた不随の下半身を引きずってバルコニーに立った。大きな拍手が鳴りやむと、「我々は正義に則った、そして永続的な平和のために尽くさなくてはならない。そしてこの戦いに完全なる勝利を収めなくてはならない。（中略）互いを信頼しなくてはならない。疑ったり恐れたりしてはな

らない。信じることで勇気が湧いてくる」と語った。彼の演説はわずか五百七十三語の短いものだった。過去三回の就任演説と比べて最も短かった。[*9]

遠くから演説を聞く者は気づかなかったが、バルコニー近くにいる者はＦＤＲの身体全体が小刻みに震えているのを見ていた。「父の体調は最悪だった（looked like hell）」と息子のジェームズは語っている。[*10] ＦＤＲが世を去るのはこの日からわずか三カ月後のことであった。ＦＤＲがこの日に自身の死が近いことを悟ったことは間違いなかった。この日の午後、息子のジェームズと遺言の話をしている。いつもはめている指輪はジェームズに譲ること、葬儀についての指示は金庫に入っていることを彼に伝えていた。[*11]

これほどの体調不良でありながら、就任演説のわずか二日後、ＦＤＲは大統領専用車両で港町ニューポートニューズ（バージニア州）に向かった。翌二十三日早朝には薄明の中を巡洋艦クインシーに移った。午前八時半、クインシーは港を出た。目的地は地中海の島マルタであった。アメリカ国民は三巨頭が再び会談することはわかっていたが、その詳細を知る者はなかった。

スターリンは、前節で書いたように、すでに東ヨーロッパの将来については共産化が認められたと確信していただけに、会談を急いではいなかった。スターリンがテヘランでＦＤＲと親交を深めたことはすでに書いた。このときにスターリンはＦＤＲの不自由な下半身をまじまじと見ていた。そして、次の会談では、自身が遠くに出向いてFDRと会うと約束していた[*12]。FDRはそれを知っていただけに、何度も飛行機を使用しないですむ町での会談を提案していた。アテネ、ピレウス（ギリシャの港町）、サロニカ（同）、エルサレム、イスタンブール、ローマ、アレキサンドリア、キプロス、マルタ、リビエラなどを候補にした。しかし、すべて拒否された。スターリンは、一九四四年十一月二十三日付の親書で、一月末から二月初めの会談時期を了承すると伝えてきたが、医者から遠距離の旅を禁じられていることを述べ、会談地は黒海周辺でなければ出かけられないとしていた[*13]。ヤルタが会談の場所と決まったのはそういう理由であった。巡洋艦クインシーでマルタまで行き、そこからは飛行機の旅となった。

会談の場所の決定については先述の『ルーズベルトの死の秘密』に興味深い記述がある[*14]。

〈（スターリンは）主治医の意見を受けて、遠いところへの旅は難しいと言ってきたのである。その結果の妥協の地が黒海沿岸のリゾート地ヤルタであった。チャーチルはFDRより先にヤルタに入っていたが、「スターリンは（英米から）最も遠く最も不便かつ不快な場所を選んだ。我々にもう少し時間があれば絶対にこの場所を選ぶことはなかった。ここはチフス菌やら虱（しらみ）の天国のようなところだ」と外交顧問のハリー・ホプキンスに知らせ、ＦＤＲへ伝えさせた。

ブルーエン医師によれば、チャーチルは次のようにもＦＤＲに伝えていた。

「貴国の駐ソ大使アヴェレル・ハリマンは、サキ空港からヤルタまでは車で二時間だと報告していたが間違いである。たっぷり六時間はかかる。また山岳地帯を越えなくてはならないが、そこはかなり危険な場所で、場合によっては通れなくなることもある。ヤルタにある建物はドイツ軍が破壊して撤退したが、不潔な害虫に溢れている。ただし、ここに来る前、マルタ島でハリマン大使や先遣隊から、空港からヤルタまでの道は、天気に恵まれ昼間の移動であればそれほど困難ではないとの報告を受け、おおいに安堵している。なお、セバストポル港に停泊した米海軍船カトクティンの軍医官が害虫駆除を首尾よく完了した、との報告を受けたこともお知らせしたい」

ＦＤＲのヤルタへの旅はおよそ二週間かかっている。重巡洋艦クインシーでマルタ島に移動し、そこからクリミア半島のサキ飛行場まで千二百マイルを飛行機で飛んだ。ブルーエン医師が記録しているように高度は六千フィートから八千フィート（千八百メートルから二千四百メートル）の低空だった。サキ飛行場からヤルタまでの車の移動には六時間かかっている。〉

一九四五年二月二日午前九時三十五分、巡洋艦クインシーはマルタに入港した。マルタには英米軍関係者が先着し、今後の軍事作戦についての協議を進めていた。その内容を軍幹部がブリーフィングした。しかしＦＤＲは何の興味も示さず、一言もしゃべらなかった。早く終えろという態度がありありと見え、軍幹部は早々に退散した。[*15] また、国務省は航海中に目を通しておくべき資料をＦＤＲに渡していたが、それにも目を通していなかった。[*16]

マルタにはチャーチルとイーデン外相が先に入っていた。ＦＤＲと事前の打ち合わせをしたかった。しかしＦＤＲはそれには何の興味も示さず、市内観光を優先させたのである。その日の夕食はクインシー艦上で開かれた。米英首脳の打ち合わせの場になるはずであった。しかしこの場でもＦＤＲは全くそのことを話題にしなかった。[*17]

米英首脳は何の打ち合わせもできず、マルタからヤルタに飛び立っていった（午後十一時半）。

ヤルタ会談（2）表の合意

ヤルタ会談の時期の戦況をフーバーは次のように書いている。

〈ヤルタ会談は、テヘラン会談から一年二カ月後に開催されたことになる。この間にフランス、ベルギー、オランダが米英軍に解放されていた。イタリアは一九四三年九月には枢軸国から離脱し、連合国と講和していた。ムッソリーニは北部イタリアのロッカ・デッレ・カミナーテに幽閉され、（ドイツ軍の）監視下にあった。ヒトラーの軍はすでにドイツ国境付近にまで撤退していた。ドイツ軍のほぼ半分が壊滅し、ソビエト軍はオーデル川を越え、ベルリンまでおよそ一〇〇マイルに迫っていた。〉（第64章、注1）

したがって、会談の中心議題は戦後のヨーロッパのあり方だった（第65章、注3）。これについては次のような声明が出た。

〈ヨーロッパにおける秩序の再構築と経済の回復は、ナチズムおよびファシズムの痕跡を一掃することから始めなくてはならない。そのうえで、自らの望む民主主義的政体を創造していかなくてはならない。それが大西洋憲章の精神である。それぞれの国民は自ら望む政治体制を選ぶ権利を持つ。侵略国家によって奪われた主権と自治の回復がなされなくてはならない。〉（傍点渡辺）

先にチャーチルとスターリンが合意した東ヨーロッパの勢力圏について書いた。このことは決して表には出せないが、時を経て必ず明らかになることだった。そのためには声明文に工夫が必要だった。その工夫が右記の傍点部分である。解放後の自由を享受できる国は、侵略国家によってその自由を喪失した国に限定されていた。連合国の一員であるソビエトは侵略国家ではない。したがって、ソビエトによって自由を剝奪された国にはこの声明は適用されない。そういう理屈が出来ていた。この点についてフーバーは次のように書いて批判している。

〈この文章に「侵略国家によって」という語句が加えられていた。つまり主権と自治を奪い去ったのが侵略国家による地域だけに限定されることになった。一方で、ソビエトは、これまで発せられた声明や文書の中では和平を希求する国家として定義されていた。したがって、右記の方針は、和平を希求するソビエトに占領された地域は適用除外になるという解釈の道を残したのである。〉（第65章、注4）

フーバーは書いていないが、筆者はチャーチルにも「侵略国家によって」という付帯条件は都合がよかったと考えている。大西洋憲章は、大英帝国の維持が最重要と考えていたチャーチルには都合が悪かった。アメリカ国民の参戦意識を高めるためには致し方がないと諦めていた。ところが、この付帯条件はイギリス植民地についても適用される。侵略国家ではないイギリスの植民地の人々の、失われた自由の解放には適用されない理屈となるのである。チャーチルという政治家の「狡さ」の表れであった。公式声明にはポーランドの将来にも触れられていた。第二次世界大戦は、ポーランドとドイツの領土交渉（ダンツィヒ・ポーランド回廊問題）の破綻が原因であった。それだけにポーランドの戦後のあり方が議題になるのは当然だった。

〈ポーランドでは赤軍による完全解放の結果、新しい状況が生まれている。ポーランドには、西部ポーランドの解放以前にもまして、より広範な国民の意思を反映する暫定政権の設置が必要になっている。現在のポーランドの暫定政府組織は再編成され、ポーランドに残っていた指導者に、外国に亡命していた指導者を加えた民主的組織を作らなければならない。新暫定組織は「ポーランド国民統一臨時政府（The Polish Provisional Government of National Unity）」とする。〉（第65章、注6）

ＦＤＲとチャーチルにとって、ポーランドの将来設計はきわめてセンシティブな問題だった。ロンドンにはポーランド亡命政権があり、英国はポーランドに独立保障していた。チャーチルにはポーランド亡命政権を保護する義務があった。ＦＤＲも一九四四年十一月の選挙では、ポーランド系の票の獲得のためにポーランドの自由回復を約束していた。しかし、チャーチルが懸念したように、バルカン半島の国だけでなくポーランドにも赤軍が先に入ってしまった。ポーランドにはソビエトの後押しで共産主義者の組織が出来上がっていた。もはやポーランド亡命政府が期待する民主主義国家の再建は不可能になっていた。

赤軍に占領された国を民主化させる。チャーチルとFDRはそれを約束せざるを得なくなる（この矛盾はその後顕在化し、親ソビエトの共産党政権が生まれた）。FDRもチャーチルも、何とか自国民への言い訳が成り立つような「民主的」政権をポーランドに建てることを約束しなくてはならなかった。しかし、現実にソビエト赤軍が占領している中にあって、それができるはずもなかった。ポーランドの悲劇についてフーバーは、第3部「ケーススタディ」でその経過を詳述している（第1編）。

第二次世界大戦は、英仏の保障したポーランドの独立がナチスドイツに侵されたことが原因で始まった。しかし大戦に勝利したものの、ポーランドはスターリンの手に落ちたのである。太平洋方面の戦いは、中国から日本を撤退させることであった。それがハル・ノートの対日要求だった。ところが中国も共産化した（一九四九年）。要するに、英米仏の若者は両国の共産化のために戦ったのである。民主主義国家ではない国ソビエトを連合国に加えながら民主主義的世界を構築するという主張（大西洋憲章）の矛盾そのものだった。フーバーは中国の共産化の経緯についても第3部「ケーススタディ」で詳述している（第2編）。

このことは、FDRとチャーチルの戦争指導がいかに間違っていたかを示している。そうであるにもかかわらず、釈明史観に立つ歴史書はそれを真面目に考察しない。二人の政治家を偉大な指導者とする歴史観の最大の欠陥が、ポーランドと中国の共産化だからである。

ヤルタの声明はドイツの戦後にも言及しているが、まだこの時点では対独戦争は続いていた。これについてはドイツ降伏後に開催されたポツダム会談の節で扱う。ただ次の二点については知っておくべきであろう。一点はドイツ人捕虜をソビエトが強制労働に就かせることをチャーチルとFDRが容認したことである。

〈ドイツ人捕虜を強制労働に使用するという秘密協定は、戦争捕虜を奴隷労働に利用するという何世紀も続く悪癖への回帰であった。戦いが続くうちは、文明国の捕虜の扱いはジュネーブ条約〔訳注：捕虜の待遇改善に関わる国際条約〕に従って、ある程度の保護がなされていた。そうしなければ自国の捕虜に対して復讐される恐れもあった。しかしこの秘密協定は、文明国が積み上げてきた配慮を棄てるものであった。〉（第66章、注3）

「ヤルタの犠牲」追悼モニュメント（ロンドン）

もう一点は、フーバーの『裏切られた自由』執筆時には公になっていなかった捕虜送還問題である。チャーチルがスターリンとの間で、英国人戦時捕虜の解放について協議したのは二月十日午後のことである。そこにはFDRはいなかった。東からドイツに迫る赤軍はドイツ占領下にあった国々で捕虜となっていた連合国民を解放していた。チャーチルは自身の姪（Betsy Pongraz）の消息が気になっていた。彼女は戦争勃発時にハンガリーにいたが、その後の行方がわかっていなかった。スターリンに消息を探ってくれるよう要請し、スターリンも協力を約束していた。そのこともあって、この日に互いの管理している捕虜の送還について話し合った。*18

西からドイツに入った英米連合軍も、捕虜となっていた「ソビエト国民」を「解放」していた。結局、この日の二人の合意を受けて、四千三百六十三人の連合国側の捕虜が送還された[*19]（一九四五年三月）。ソビエトに送還される「国民」の数は多かった。民間人は百三十万人、投降した軍人は七十万人だった。[*20]問題は、チャーチルが、「ソビエト国民」はすべて、彼らの意思とは関わりなく送還すると約束したことだった。

スターリンは捕虜になった国民を国家への反逆者と見なしていた。彼は、自身の長男ヤーコフがドイツ軍の捕虜になると、「なぜ自死を選ばなかったか」と激しく憤っていた（一九四一年七月）。

スターリンと共産主義を嫌うロシア人の中には、ドイツ軍に積極的に参加し、赤軍と戦っている者もいた。チャーチルはこうしたロシア人までもソビエトへ送還することを決めた。

彼らの運命は言わずもがなである。多くがグーラグ（強制労働収容所）に送られるか処刑された。チャーチルのこの非人道的な決断と、現地で送還実務に当たっていた担当者への責任追及を恐れた英国外務省は、記録の隠蔽や破棄を図った。しかしその実態は歴史家ニコライ・トルストイ（文豪トルストイの末裔）によって暴かれた[*21]（『ヤルタ会談の犠牲者』一九七七年）。犠牲者追悼のモニュメントはロンドンのヤルタ記念公園にある。

ヤルタ会談（3）裏の合意（秘密協定）、極東合意

ＦＤＲはソビエトを対日戦に参戦させたがっていた。ヤルタ会談の四カ月前（一九四四年十月十日）には、ハリマン駐ソ大使がＦＤＲに、スターリンの同意を報告していた。ＦＤＲはヤルタで、その同意を確実なものにしておきたかった。二月八日に詳細が詰められた。その結果は次のようなものだった（第68章、注7）。

〈米英ソ三国首脳は、ドイツ降伏の二カ月ないしは三カ月後にソビエトが対日戦争に連合国の側に立って参戦することで合意した。ソビエト参戦の条件は以下である。

一、外モンゴル（モンゴル人民共和国）の現状維持

二、一九〇四年の日本の攻撃によって失われたロシアの利権の回復

A、南サハリンおよびその周辺の諸島のソビエトへの返還

B、大連港の国際港化、同港におけるソビエトの利権の恒久的保護、ソビエトの軍港として利用することを前提にした旅順港の再租借

C、東清鉄道および南満州鉄道から大連への路線は、ソビエト・中国共同の会社によって運営される。これに伴うソビエトの利権は保障される一方、満州の主権は中国に属するものとする。

三、千島列島（The Kuril Islands）はソビエトに割譲（shall be handed over）され

るものとする。

右記の、外モンゴル、港湾と鉄道に関わる合意については、蔣介石総統の同意(concurrence)を条件とする。大統領は、スターリンの助言を受けながら、蔣介石の同意を取りつける努力をする。

ソビエトの要求事項は、日本の敗戦後には確実に履行される(unquestionably fulfilled)ことで合意した。一方ソビエトは、中国政府と友好条約および軍事同盟を結び、中国の日本からの解放の戦いに軍事力を提供する準備ができていることをここに表明する。

一九四五年二月十一日

(署名)　J・スターリン
フランクリン・D・ルーズベルト
ウィンストン・S・チャーチル〉

ここに書かれた内容はすべて秘密協定であった。秘密にした理由は二つある。一つは日ソ中立条約の存在である。同条約は一九四一年四月に調印され、五年間の中立が定められていた。したがって、法律上はソビエトが日本との戦いに参戦することはできなかった。もう一点は、中国の主権に関わる問題だった。大連、旅順両港の扱い、モンゴル周辺のソビエトの影響力、東清鉄道・南満州鉄道の経営など、すべてが中国の主権と関わっていた。それを蔣介石の了解なく三国が取り決めたのである。中国に知らせると日本に情報が洩れるという懸念も理由にされた。[*22]

チャーチルは、大連と旅順両港が租借されることに反対しなかった。日露戦争時代の英国は、ロシアが極東に不凍港を持つことを嫌った。チャーチルには反対しない理由があった。それは香港の将来である。アメリカはイギリスの植民地は解放されるべきだと考えていることをチャーチルは知っていた。しかしFDRがスターリンに両港の租借を認めたことで、英国に対して租借地香港からの撤退を強要するロジックがなくなるのである。[*23]

FDRは、スターリンが日露戦争敗北の恨みを強く持っていることを感じていた。南満州鉄道利権、旅順港の租借、南サハリン（南樺太）領土の回復が容認されたのは、その恨みを解消させるためであった。FDRには、ソビエト参戦の条件としてこれを承諾することに何の躊躇（ちゅうちょ）もなかった。

しかし問題は「その周辺の諸島」であった。それは当然に千島列島を意味したが、FDRも交渉に参加していたハリマン駐ソ大使も、ソビエトの要求に根拠がないことを問題にしなかった。国務省専門家の意見を聞かないFDRの悪癖の結果だった。日本とロシアの間には千島・樺太交換条約（一八七五年）が締結されており、千島列島はソビエト領土ではなかったのである。おそらくハリマンもＦＤＲもそのことを知らなかったと思われる。

　軍関係者の意見に耳を傾けなかったことも明らかになっている。ヤルタ会談のメンバーの一人アーネスト・キング（海軍最高司令官、作戦本部長）は、「統合参謀本部は、対日戦争に参加させるためにスターリンに甘い譲歩を提示することに反対であった。（キングを含む）軍関係者は、スターリンの要求する条件はあまりに高いとの意見で一致していた。ロシアは満州の鉄道利権と不凍港、日本の支配する南サハリン、そして千島列島全島を要求していた。統合参謀本部は、スターリンには南サハリンをやれば十分だと考えていた。しかし参謀本部に政治的判断はできない。参謀本部の考え方は採用されなかった」と自著の中で告白している（第70章、注5）。

　日本固有の領土である千島列島をスターリンに「差し上げた」ことの愚かさは、秘密合意の存在が明らかになるにしたがってアメリカのメディアも指摘した。合意内容が国民の前に明らかにされたのは、一九四六年二月十一日のことだった。翌日の『ニューヨーク・ワールド・テレグラム』紙は次のように書いた（第3部第2編「序」）。

　〈合衆国はジャップとの戦いに参加させるために、ロシアを賄賂（わいろ）で釣るようなことをしてしまった。まったく不要なことであった。こんな意味のない賄賂が、これまでにあったただろうか。ようやくルーズベルト、チャーチル、スターリンの合意が公になったが、恐れていた以上にひどいものであった。これまで大統領も国務省も秘密協定は一切結んでいないし、これからも結ばないと言っていたのではなかったか。

千島列島とサハリンを差し上げることは、大西洋憲章第二項の領土的変更不可の精神に違背し、国際連合の宣言にも反する。カイロ宣言にも反する。日本には、暴力と欲望を以て獲得した領土は認められないが、千島列島はそのような領土ではない。〉

ヤルタ会談ではこのほかにも秘密合意があったことをフーバーは明かしている。現在も日本を苦しめる北方領土問題は、ヤルタ会談におけるルーズベルトの判断の愚かさに起因している。筆者はこの問題の解決は、アメリカがヤルタ会談の秘密合意の失敗を認めることがその第一歩だと考えている。しかしそれをすることは、FDR・チャーチルの戦争指導を是とする釈明史観の変更を意味する。二人の進めた外交を懐疑的に見る歴史修正主義が歴史解釈の主流にならないかぎり、変更は難しいであろう。二人の戦争指導者が見せた対スターリン交渉の愚かさは、二十一世紀に入っても日本を苦しめている。日本とロシアの関係を進展させない阻害要因になっている。両国にとっても不幸な状態が続いているのである。

ルーズベルトの死とトルーマン副大統領の昇格

戦後、ヤルタ会談は次第に否定的な評価になっている。たとえばロバート・ケネディは、「ルーズベルトは、不確かな知識しか持ち合わせていないのに、部下である政治外交の専門家の意見も聞かず、数々の問題ある合意をソビエトとの間で結んだ。（会議に随伴していた）専門家たちは、協議されている事柄について十分な知識を持ち合わせていたにもかかわらずである」[*24]と批判している。

ルーズベルトはヤルタ会談についてどのように考えていたのだろうか。実は彼自身も相当に問題であったことは自覚していたようである。一九四五年三月五日、ハイドパークの自邸にいたＦＤＲを旧友のアドルフ・バール駐メキシコ大使が訪れた。

〈バール大使はＦＤＲがヤルタであまりにスターリンに譲歩し過ぎたのではないかと心配していた。ＦＤＲは、対日戦争にロシアの協力がどうしても必要だったと弁明した。ＦＤＲはバールを納得させることができなかった。そして最後に両手を挙げて、「アドルフ君、あの結果が必ずしも良いものであったと言っているわけではない。ただあれが僕にできる精一杯のことだった[*25]」〉

ヤルタ会談の問題はもう一つあった。ＦＤＲはすでに死相を見せるほどに病んでいたことである。ヤルタに来ていたチャーチルの主治医モラン卿はＦＤＲを観察し、日記に次のように書いていた。

〈医師の目には明らかにＦＤＲは病人であることがわかった。脳動脈が硬化している患者の見せる症状のすべてが現れていて、それもかなり進行した段階であることがわかった。おそらく数カ月の命であると推測できた。人間には、見たくないものは見ないという悪い性癖がある。ヤルタに来ているアメリカ人連中は、ＦＤＲはもうすぐ死ぬ人間であることを認めようとしなかった。彼の娘は父親が重症であるとは思っていないようだ。彼女がそう（重篤ではないと）思っているのはＦＤＲ付きの医師がそう言っているからだ。[*26]〉

ＦＤＲは、モラン卿の見立てどおりヤルタ会談の二カ月後（一九四五年四月十二日）に息を引き取った。その模様は次のように描写されている。

〈午後一時十分ごろ、サックリーはリトルホワイトハウスとなっていたＦＤＲ邸のリビングルームのソファに座り、編み物をしていた。上目づかいに見ると、大統領は何か探し物をしているような仕草をしていた。頭を前に傾げ、手は震えていた。「煙草でも落としましたか」と聞くと、FDRは痛みがあるようで額に深い皺をよせていた。それでも懸命に笑おうとしているのがわかった。FDRは左手を頭の後ろにやり、このあたりがひどく痛むと訴えた。「部屋にいた者でそれを聞いた人はいなかった。とても低い声だった。私は大統領のすぐそばにいたので聞き取ることができた」〉[*27]（「サックリー日記」一九四五年四月十二日付）

このあとFDRは突然前のめりに倒れ、意識を失い、そのまま息を吹き返すことはなかった。彼の死を受けて副大統領のハリー・トルーマンがその日に宣誓し、大統領となった。トルーマンは外交の実態をほとんど知らされていなかった。FDRもステティニアス国務長官もヤルタ会談の内容をトルーマン副大統領にブリーフィングしていなかった。[*28]秘密協定の存在など知る由もなかった。トルーマンの就任で多くの閣僚が入れ替わった。解任された者も自ら職を辞した者もいた。ただし軍関係の指揮官は替わっていない。トルーマンの置かれた状況をフーバーは次のように書いている。

〈トルーマン氏は前政権から二つの戦争を引き継いだ形となった。一つは英国・ソビエトとともに戦う対独戦争、もう一つがほぼ米国一国で戦う対日戦争である。対日戦争での英国の関わりはきわめて限定的だったし、ロシアも参戦していなかった。太平洋方面の戦況は、マッカーサー将軍がすでに日本の戦力を麻痺させており、講和を求める動きが出ていた時期であった。ヨーロッパ戦線では枢軸国はドイツを除きすべて降伏し、ドイツもその領土内での戦いを強いられていた。アイゼンハワー将軍指揮下の英米軍とロシア軍が（両面から）ドイツ国内に進撃していた。ドイツはトルーマン就任の一カ月後に降伏した。〉（第74章）

ポツダム会談

ポツダム会談は、ドイツ降伏（一九四五年五月七日）後、ベルリン郊外のポツダムで開かれた。ポツダムでの議題は、ドイツとポーランドの戦後処理と、まだ戦いの続いている対日戦争の方針を協議することであった。

当時の戦況をフーバーは次のように書いている。

〈ヨーロッパの戦いは終わっていた。日本との戦いはマッカーサー将軍が進めていたが、その戦いも終幕に近かった。日本は艦船の三分の二をすでに失っていた。残る艦船も米海軍の海上封鎖で身動きが取れなかった。民間船の動きも完全に麻痺していた。中国にいる陸軍は日本本土から隔絶された状態に陥っていた。太平洋の島々に駐留する軍は補給が途絶していた。その多くが飢えていた。日本の航空機も確実に破壊されつつあった。本土の都市は空襲に晒され、木造家屋は焼失した。日本は繰り返し講和を求めるシグナルを出していた。〉（第80章）

この頃になると、ポーランドの戦後処理がトルーマンとチャーチルを悩ませていた。トルーマンはFDR外交の実態を理解するまでに時間はかかったが、次第に事態を把握するようになっていた。スターリンはドイツと協力関係にあった時代に占領した東部ポーランドを手放す気は全くなかった。したがってポーランド亡命政権（ロンドン）を納得させるには、西部ポーランドの領土をさらに西に拡大させるしかなかった。それはドイツ領を奪うことを意味していた。また、西部ポーランドには共産主義者が政権をとるべく活発に活動し、彼らはソビエトの支援を受けていた。ロンドンにあるポーランド亡命政権がそれを容認するはずもなかった。ソビエトという共産主義国家を連合国の一員に加えて戦った矛盾であった。

〈この会談で、西部ポーランドに成立していた共産主義政権（ボレスワフ・ビェルト大統領）がポーランドを代表する政権として確認された。ロンドンにあったポーランド亡命政権には次のような文書が届いた。亡命政権は捨てられたのである。

「ここにポーランド内地および海外帰還者の代表によって合意がなったことをお知らせする。本合意によって、ポーランド国家統一臨時政府の設置が可能になり、連合国三国によって承認された。これはクリミア会談(ヤルタ会談)での合意に沿ったものである。暫定政権の成立によってロンドンの亡命政権は失効することとなった」

世界に散らばるポーランド人で、この決定を喜ぶ者はいなかった。東部ポーランドはすでにソビエトに併合されていたわけだが、この合意によってそれを確定させたことになった。西部ポーランドの西側国境は、ドイツ領内に深く入る形で線引きされた。その結果、およそ六〇〇万人のポーランド人がソビエト領となった地域から(ドイツから奪う新領土に)移住させられることになり、ほぼ同数のドイツ人が新しくポーランド領土となる地域から(ドイツへ)送還されることになった。〉(第81章)

ポーランドの戦後処理はその後、複雑なプロセスをたどった。それについてフーバーは『裏切られた自由』第3部「ケーススタディ」の中で詳述しているので、本書では割愛する。結論を言えば、ポーランドは米英両国に棄てられたのである。第二次世界大戦の開戦動機は英仏によるポーランドの独立を守ることであった。だからこそ一九三九年九月にドイツがポーランドに侵入すると、英仏両国は対独宣戦布告した。しかし、ポツダム会談ではなぜ戦争が始まったのかなどどうでもよくなっていた。

ポーランドの戦後は惨めであった。ポーランドが共産主義体制の軛（くびき）から解放されたのは一九九一年のことである。だからこそ修正主義歴史観に立つ歴史家は、ポーランドの一九三九年における対独強硬外交は愚かだったと書くのである。ヒトラーとリッベントロップ外相が繰り返し外交的妥協を求めたとき、別な対応をしていれば、このようにはならなかった。それがフーバーも含めた歴史修正主義に立つ歴史家の重要な視点の一つである。

ポーランドを西に拡大させるために割譲させた土地（旧ドイツ領）に住むドイツ国民の運命も悲惨であった。彼らは持てるだけの物を持ち、着の身着のまま住み慣れた土地を追われた。彼らの多くがベルリンに流入した。食糧を求めて多くの女性が身体を売った。米国立公文書館発行の論文によるとベルリンでは五十万人もの女性が身体を売ったとされている。[*29]

ポーランドの戦後処理と同様に重要な案件は、まだ戦いの続いていた対日戦争の方針であった。フーバーは、アメリカはすでに日本が講和条件を模索していることを知っていたこと、また多くの関係者が、天皇の地位保全の要望を認めれば日本は降伏に応じると見ており、要望を認めるべきであると意見していたことを書いている。一九四五年二月にはルーズベルトのもとにマッカーサー将軍から長文の報告書が寄せられていた。そこには無条件降伏要求とは言いながらも天皇の地位保全は容認すること、日本を降伏させるためにソビエトに譲歩する必要はないことが書かれていた。

一九四五年四月七日には鈴木貫太郎内閣が成立し、対米戦争に反対していた東郷茂徳が外務大臣として入閣した。日本国内の動きが講和を求める方向にシフトしていることは明らかだった。日本は七月にはモスクワに講和の仲介を求めていた。ソビエトは法的には日本にとってこの時点では中立国だった。この動きをアメリカも知っていた。

〈七月には、東郷外相は佐藤尚武（なおたけ）駐ソ大使と頻繁に至急電を交わしていた。この交信はすべて傍受され、ワシントンで解読されていた。この交信は完全な無条件降伏の受諾を除けば、早急に戦いを終えたがっていることを示していた。したがって、ポツダム会談で（無条件降伏の）最後通牒（ultimatum）を発する七月二十六日から遡ること半年前から、日本側から講和の動きが示されていたし、二週間前にもロシアに対して明確にその意思が伝えられていたことがわかる。しかもそのことは解読された交信記録からトルーマン、バーンズ、スチムソンは知っていた。〉（第82章、注1）

さらに重要なのは、フーバー自身がトルーマンに対して、「日本以外の国はすべて降伏した。我々は日本との講和を望むものである。天皇の地位を破壊する意図も計画もない。それ以外の我々の要求（無条件降伏要求）が緩和されることはない」という内容の「観測気球」を上げることを勧めていたことである。トルーマンとフーバーの関係は良好だった。フーバーは、トルーマンの要請でワシントンに赴いてアドバイスをしており、日本の降伏は早期に実現するという見通しを伝えていた（一九四五年五月二十八日。第76章、注8）。

対日強硬派のスチムソン陸軍長官でさえも、次のような覚書をトルーマンに提出していた（七月二日）。

〈個人的な意見だが、日本に降伏条件を伝える場合、現在の皇室による立憲王室（a constitutional monarchy）の存続の考えも排除しないという表現であれば、日本が承諾する可能性が高まるだろう。〉（同前）

トルーマン大統領自身が、そして多くの高官が、皇室の存続という条件を容認することで日本の降伏は早期に実現できることを理解していたのは間違いない。軍幹部

（リーヒー提督、キング提督、ニミッツ提督）も同意見であった（同前、注9）。

当然に反対する高官もいた。戦後の公聴会の質疑（一九五一年）を通じて、そうした人物の名前が明らかになっている。オーウェン・ラティモア、ディーン・アチソン、アーチボルト・マクリーシュ（国務次官補）の名が挙げられている（同前、注7）。容共的な思想を持つ者ばかりであった。

七月二十六日、連合国は日本に対する降伏要求宣言を発表した（具体的な内容は、第82章、注12）。そこには皇室存続を容認する明示的な表現はなかった。八月八日にはソビエトが日ソ中立条約を破り対日宣戦布告した。八月十日、日本政府はポツダム宣言を、付帯条件付きで受諾した。

〈日本政府は、一九四五年七月二十六日のポツダムにおける共同宣言を受諾する用意がある。宣言は、合衆国、イギリス、および中国の首脳によってなされ、後日ソビエトもそれを追認したものである。ただし、上記宣言は、君主としての天皇の大権を毀損（きそん）（prejudice）する要求は一切ないと解釈しているものである。〉（第82章、注14）

連合国はこれに対して次のように回答した。

〈日本政府は、ポツダム宣言を受諾するとの声明を出した。そこには、〝ただし、上記宣言は、君主としての天皇の大権を毀損（prejudice）する要求は一切ないと解釈しているものである〟との文言がある。この点に関して我々は次のような立場を取る。

降伏の時点から、天皇および日本政府の統治の権限（authority）は、連合国最高司令官に属することとする。最高司令官は、降伏条件を満たすにあたり、必要と考える措置を取る。〉（同前）

フーバーは、対日降伏要求をめぐる議論と日本の降伏までを概観し、次のように書いている。

〈この八月十日の回答は、日本に対する譲歩であるとするか、ただ単に権限を最高司令官に委譲したことを述べたものなのか、曖昧である。しかしいずれにせよ、最高司令官ダグラス・マッカーサー将軍は、日本の降伏を見て、ただちに皇室（the dynasty）を宗教的な、そして精神的な権威として保持すると発表したのである。アメリカ人の多くが、この発表がポツダム会談の三カ月前になされていれば、数千のアメリカ兵の命が救われていたと思っている。また何千もの女性や子供あるいは民間人を殺戮した爆弾も投下されなかったと考えるのである。〉（同前）

皇室保全の条件を記載しなかった理由の一つに、FDRのカサブランカ会談で発表した無条件降伏要求があった。しかしそれだけではなかった。この点について歴史修正主義に立つ歴史家マーク・ウェバーは次のように書いている。[*30]

〈英国の歴史家J・F・C・フラーは、「（ポツダム宣言に）天皇について一切の言及がなかったのは、アメリカ国民への説明がつかなかったからである。国民は（日本が極悪国であるという）プロパガンダ宣伝で天皇の地位保全の条件を認めなかったに違いない」（A Military History of the Western World, 1987）と説明している。〉

ウェバーはこれに続いて、アメリカ指導者の判断を批判している。

〈アメリカの指導者は、日本の絶望的な状況を理解していた。日本はたった一つの条件、天皇に危害を加えない（as long as Emperor was not molested）ことさえ容認されれば、いかなる条件も飲むことがわかっていた。アメリカが無条件降伏要求に拘泥せず、天皇の地位保全を明確にしていれば、日本はすぐに降伏を受け入れたことは確実であった。そうすれば多くの人命が救われたのである。

アメリカの指導者は結局、天皇を権威と日本の伝統のシンボルとして、その存続を認めた。彼らは、ヒロヒトを象徴として利用することが占領政策に有効だと気づいた。それが正しい判断だった。悲しいほどの歴史のアイロニーであった。〉

原爆投下

フーバーは原爆使用の愚かさについて一章を充てている（第83章「日本に対する原爆投下のもたらしたもの」）。前節で書いたように、アメリカの指導者は、日本を降伏させるためには、「天皇の地位保全」を容認するか・しないかだけの決断になっていることを理解していた。したがって、原爆を使用したから日本が降伏したというロジックは誤魔化しであることは歴然としている。多くのアメリカ人識者が、アメリカがこの破壊的新兵器を使用した初めての国家になったことを嘆いていたし、原爆使用は不必要だったことを述べている。

〈日本との戦いは原爆で勝ち取ったものではない。実際、日本は、広島が破壊され世界が核戦争の到来を知る以前から、あるいはロシアの参戦以前から講和を模索し

ていた。つまり原爆は戦争終結の決定的要因ではない。〉（ニミッツ提督。第83章、注4）

〈原子爆弾の使用が戦争を終えさせたのではない。ロシアの参戦がなくても、あるいは原爆の使用がなくても、二週間以内には終わっていた。〉（カーチス・ルメイ将軍。同前、注2）

〈私は、あの残虐な兵器の広島・長崎への使用が、物理的な対日戦争で果たした役割は無いと考えている。日本はすでに敗北し、降伏の用意が出来ていた。効果ある海上封鎖がなされ、通常兵器による爆撃は十分な効果を生んでいた。「科学者やその他関係者がとにかくやってみたかったんだろう。この計画には巨額な資金が注ぎ込まれていたから」。これが、私が（原爆使用の報に接して）最初に感じた思いであった。〉（リーヒー提督。同前、注6）

原爆の使用については他国の指導者も非難していた。

〈一九四五年七月のポツダムで、西側連合国の指導者は、原爆の使用が最高の策であるとしてしまった。実に不可解な、そして危険な決定であった。彼らは原爆が、最も残酷で破滅的な兵器であることを知っていた。この兵器が軍事目標だけでなく民間人までも無差別に攻撃する性質のものであることを知っていた。日本が講和を求めてロシアに接触していることもわかっていた。ロシアが対日宣戦布告の一歩手前にいたことも知っていた。〉（英国官房長官ハンキー卿。同前、注7）

原爆使用について、スターリンがどのように反応したかも興味深い。この点についてフーバーは何も語っていない。アメリカ陸軍大学研究員であるマイケル・ナイバーグは次のように書いていることを紹介し、フーバー『裏切られた自由』の解説を締めくくることとする。

〈スターリンは広島・長崎への原爆投下を最悪の野蛮行為（superbarbarity）と呼んで非難した。そのうえで、原爆は確かに日本に使用されたが、真の標的はロシアだったと確信した。彼は広島に原爆が落とされなくても日本には降伏の用意があったことをわかっていた。それでも原爆を使用したのは、ソビエトにはもはや軍事的優位性はないということ、ソビエトの安全は保障されないことをスターリンに見せつけるためだったと確信した。スターリンにとってソビエトの安全保障は、二千万人の犠牲を払ってようやく獲得したものだった。スターリンは第三次世界大戦の到来を感じた。確かに、広島への原爆投下が世界を震撼させ、軍事バランスを崩した。

しかし絶対にソビエトは屈しない。それがスターリンの思いだった。[*31]〉

【注】

＊1　German Declaration of War with the United States: December 11, 1941.
http://fcit.usf.edu/holocaust/resource/document/DECWAR.htm

＊2　David Bercuson & Holger Herwig, *One Christmas in Washington,* McArthur & Co., 2005, p120.

＊3　INTER-ALLIED COUNCIL STATEMENT ON THE PRINCIPLES OF THE ATLANTIC CHARTER.
http://www.ibiblio.org/pha/timeline/410924awp.html

＊4　スティーヴン・ロマゾウ／エリック・フェットマン著、渡辺惣樹訳『ルーズベルトの死の秘密』草思社、二〇一五年、一一二頁。

＊5　Hayley Peterson, FDR's Love nest in the park, *Daily Mail OnLine,* November 25, 2012.
http://www.dailymail.co.uk/news/article-2238223/FDRs-menagerie-alleged-mistresses-The-American-presidents-long-list-rumored-love-affairs-romanced-upstate-New-York-cottage.html

＊6　Gary Kern, How "Uncle Joe" Bugged FDR, *Studies in Intelligence*（ＣＩＡ発行）, Vol. 47, No. 1, 2003, Unclassified Edition.

＊7　同右。

＊8　同右。

＊9　S. M. Plokhy, *Yalta: The Price of Peace,* Penguin, 2010, p4.

＊10　同右、p3.
＊11　同右、p4.
＊12　同右、p27.
＊13　同右、pp26-27.
＊14　『ルーズベルトの死の秘密』二四六―二四八頁。
＊15　同右、二四八頁。
＊16　同右。
＊17　*Yalta: The Price of Peace*, p34.
＊18　*Yalta: The Price of Peace*, pp298-299.
＊19　Bill Rudd, The Politics affecting POW behind the second "Big Three" Conference at Yalta, 1945 and the Brides of Odessa.
http://www.mhhv.org.au/?p=728
＊20　数字は左記サイトに拠った。
http://www.sunnycv.com/steve/WW2Timeline/repatriate.html
＊21　Nikolai Tolstoy, *Victims of Yalta*, Pegasus Books, 1977.
＊22　*Yalta: The Price of Peace*, p286.
＊23　同右、p287.
＊24　『ルーズベルトの死の秘密』二五四頁。
＊25　Michael Dobbs, *Six Months in 1945*, Alfred A. Knopf, 2012, p108.
＊26　『ルーズベルトの死の秘密』二五一頁。
＊27　同右、二六七―二六八頁。

*28 Michael Neiberg, *Potsdam*, Basic Books, 2015, p13.

*29 Kevin Conley, The Black Market in Postwar Berlin, *Prologue*, 2002.

*30 Mark Weber, Was Hiroshima Necessary?, *The Journal of Historical Review*, May-June 1997.

*31 *Potsdam*, p256.

おわりに

フーバーは「度重なる会談」を詳述した。その最後となるものがポツダム宣言であった。「度重なる会談」を書き込むことで、ソビエトを連合国の一員としたことの愚かさを「晒し」、ルーズベルトとチャーチルの戦争指導がいかに間違っていたかを明らかにした。共産主義国家ソビエトを連合国にした過ちの結果が、ポーランドと中国の共産化であり、ドイツの分裂であった。朝鮮戦争もその延長線上で起きた。どの場面にもアメリカ政府内部に侵入したソビエトのスパイや容共的思想を持つ高官が深く関与していたことも明らかにされた。

本書では、フーバーが詳細に書き込んだポーランド、ドイツ、中国そして朝鮮の戦後の動きを扱う「ケーススタディ」（第3部）にまで触れる紙幅がない。そこには、現代日本を悩ます中国、韓国の戦後の動きを理解するうえで重要な史実が書かれている。読者にはぜひ『裏切られた自由』をじっくりと読み込んでいただきたいと思っている。

中国と韓国は、日本を〝極悪国〟として捉え、歴史認識では日本の主張を一切受け付けず、二十一世紀になっても非難を続けている。歴史の捏造が明らかな南京事件についても、いわゆる慰安婦問題についても、アメリカはプロパガンダであることを知っている。それにもかかわらず、アメリカが日本を擁護しようとしないのはなぜなのか。それは、ルーズベルトとチャーチルの戦争指導があまりに愚かであったからであり、その愚かさは日本が（そしてナチスドイツが）問答無用に〝悪の国〟であったことにしないかぎり隠しようがないからである。

歴史修正主義は、戦後築き上げられた「偉大な政治家神話」に擁護されている二人の政治家（ルーズベルトとチャーチル）の外交に疑いの目を向ける。ナチスドイツや戦前の日本が、胸を張れるほど素晴らしい国であったと声高に主張しているのではない。極悪国とされている国を「歪んだプリズム」を通して見ることは止めるべきだと主張しているに過ぎない。

それにもかかわらず、歴史修正主義は枢軸国を擁護する歴史観だとのレッテルが貼られている。それは、ルーズベルトとチャーチルが引き起こした戦後世界の混乱の真因から目を逸らさせたい歴史家や政治家がいるからである。アメリカの、そして英国の若者の死が、スターリンの指導する共産主義思想の拡大に利用されただけだとは、決して言えない。その意味で、日本の中国・韓国（そして北朝鮮）との外交問題は、アメリカが歴史修正主義を受け入れないかぎり続くと覚悟しなくてはならないだろう。

最後になるが、読者は本書と『裏切られた自由』そのものを読んでも、フーバーには戦前の日本に対する理解が足りないのではないかと感じるはずである。フーバーの経歴を本書で詳しく書いたように、彼は鉱山開発、経営の専門家であり、技術系の人間であった。アジアの歴史に詳しくはなかった。フーバー政権時代にはアジア外交を日本嫌いのスチムソン国務長官に丸投げしていた。スチムソンは、満州を中国プロパーの土地と理解し、満州事変以降はスチムソン・ドクトリン（満州国非承認、対日強硬外交）による外交を繰り広げた。当時のフーバーは、中国国内における共産主義者の工作に鈍感だったようだ。それが教条主義的に日本を悪者として扱い続けたスチムソンを外交のトップに据えた理由であろう。

日本は満州国の扱いについて何度もアメリカに理解を求めた。中国内政への共産主義者の干渉についても注意を払うよう呼びかけた。それでもスチムソンは聞く耳をもたなかった。さらに、スチムソンは自身の外交政策（スチムソン・ドクトリン）の継続を、新大統領ルーズベルトに直訴する始末だった。フーバーがスチムソンという人物にアジア外交を任せたことは大きな失敗であった。共産主義者の工作に注意を向け、国務省プロパーの分析にしっかりと目を向けるリアリストの目を持った政治家を国務長官にしていれば、その後の日米関係はかなり違ったものになっていたであろう。

その意味で『裏切られた自由』は日本贔屓の政治家によって書かれたものではないと言える。本書の初めに書いたように、それだけにルーズベルトとそれを引き継いだトルーマンの外交に対するフーバーの批判はニュートラルなのである。

フーバーは、自身の感情を抑え、可能なかぎり資料に語らせることを心掛けた。第二次世界大戦をこの『裏切られた自由』に触れずして語ることはもはやできない。あの戦争は始まりも終わりも腑に落ちないことばかりであった。『裏切られた自由』にはその「不可思議さ」を解く重要なヒントが溢れている。生きているうちにこの書に巡り合えたことは幸運だったと思っている。『裏切られた自由』の編集に携わったジョージ・H・ナッシュ氏とフーバー研究所の関係者に、この場を借りて感謝の意を伝えたい。

渡辺惣樹

二〇一七年春

草思社文庫

誰が第二次世界大戦を起こしたのか

フーバー大統領『裏切られた自由』を読み解く

2020年12月8日　第1刷発行
2024年4月4日　第2刷発行

著　者　渡辺惣樹

発行者　碇　高明

発行所　株式会社 草思社

〒160-0022　東京都新宿区新宿 1-10-1
電話　03(4580)7680(編集)
03(4580)7676(営業)
http://www.soshisha.com/

印刷所　株式会社 三陽社

付物印刷　中央精版印刷 株式会社

製本所　加藤製本 株式会社

本体表紙デザイン　間村俊一

ISBN978-4-7942-2486-6　Printed in Japan